U0114498

中國目錄學理論

周彥文 著

臺灣學生書局印行

自　序

我在淡江大學講授目錄學已經多年了。比起其他的課程，這門課真是枯燥單調得多。

由於受到上課時數和學生基礎訓練不足的限制，授課的內容只能涉及基本概念和簡單的目錄學史；若想要再較深入的談及目錄學的理論，不但時間不夠用，學生想必也會茫然不知所以。

可是我不能讓自己的目錄學知識只停留在目錄學史的範疇，所以這幾年我的研究重點，就放在目錄學的理論上。我個人以為，雖然古代學者都把目錄學視為治學的門徑，可是無可諱言的，在當前它卻是一項逐漸沒落的學門。振衰起弊之道，唯有開出目錄學的理論系統，從理論上去演述目錄學在學術研究上的重要性，才可以使初學者正視目錄學的功效。

這部書就是以此為基本思考點來寫作的。因此，全書的討論重心在於如何把目錄學的知識運用到全面的學術研究，而不要只限於書名、作者、卷數、存佚的查詢。

所謂運用目錄學來研究學術，意指用歷代書目綜合歸納出學術門類和學術流派，再以此為基礎，進而從事學術史的研究。如此一來，目錄學就可以超越工具性學科的性質，成為一門具有詮釋性意義的學科。

我之所以持這樣的研究進程，最主要的基本觀念是：有其書則必有其學，有其學，在歷代書目中大多都有其類。雖然有時學與類之間的結合並不是那麼緊密，可是在理念上大致是如此，所以中國的目錄學和歷代學術是有密切關聯性的。本書中無論是在討論分類原理或類目的組織特性，都以歷代書目如何表現學術觀念為主要思考方向，並企圖由此架構出中國歷代書目和學術結合的方法和理論。

在討論的過程中，最難表達的是圖書分類和學術分類的差異問題。我在文中一直強調中國歷代的書目是用學術觀念來分類，而不是用檢索圖書的觀念來分類。於是這就產生了一個問題：這樣的說法，是有違中國書目可以「即目求書」的事實的。

當然，我完全無法否定書目可以檢索圖書的功能。中國歷代書目中有許多都是根據實有的藏書所編成的，例如《七略》、《崇文總目》、《文淵閣書目》、和多數的私家書目等。這些根據實有藏書所編成的書目，在當時的確可以「即目求書」，這是不爭的事實。可是我所要強調的是觀念上的意義，我個人以為，不論成書的方式如何，這些書目的分類觀念都在於學術門類，而不在於檢索圖書。也就是說，書目的編輯者主要呈現的是「共有那些類」，而不是「藏有那些書」。運用前一種觀念來看，可使書籍在散佚之後，書目仍有學術門類上的意義；可是如果我們用後一種觀念來看待書目，那麼藏書在散佚後，書目就只剩下查檢基本資料的工具性功能了。因此，本書在討論歷代書目時，焦點都放在「類別」的分隸上面，將「類別」視為基本的討論單位，而較少論及個別的「書籍」問題。

其實書目本就是一個客觀存在的研究對象，它的功能應是多樣性的，端看研究者選擇怎樣的角度來詮釋它。我選擇用上述的觀點來詮釋歷代書目的編輯理念，是希望能使書目的意義和學術功能更加契合。

全書共分成十章，每章的論述宗旨寫在第十章結論中，此處就不再重述。在撰寫時，儘量直接由歷代書目中歸納理論，而不求用前人的說辭來推卸自己應負的學術責任。

行文時疏漏之處在所難免，而目錄學的理論當然也不止本書中所論的這幾項而已。有所不足的，就有待日後的努力了。

中國目錄學理論

目　次

第一章 緒 論

一、目錄學的定位問題

目錄學是什麼？

這是一個難以解說的問題。因為已經有許多的目錄學專著行世，在這些書中，對於什麼是「目錄學」都有很清晰的詮釋。但是，我們如何給這門學科定位呢？

在國學的領域中，目錄學一向被定位為工具性學科，只有檢索資料的單一功能。所以一般的《中文工具書指南》之類的書，都會將歷代公私書目列入，並告訴讀者說：「這是查詢有那些古書的工具書」。如果能更進一步的說明可以利用小序和解題來了解原書的類屬和內容，就已經算是難能可貴了。

試想，如果目錄學真的只能提供歷代書名的檢索，歷代的編目者是否真的有此必要大費周章？官方是否真的有必要為編書目而成立一個專職的機構？而且，如果書目只能提供書名的檢索，那麼又何以能夠稱之為「學」？

這個問題可以從分類方式上來探討。如果中國歷代的書目僅是為了要供檢索之用的話，依理應要設置一套「圖書分類法」，這樣要查閱書目的人才可以按圖索驥，快速的查到所需的書籍資料。所謂「圖書分類法」，是指編目者並不以自身所藏的書籍為限，而以一種觀照當代所有圖書的角度，來編定一套放諸四海皆準的分類法。這個分類法在圖書類型沒有大量轉變前，是可以適用於任何編目者和任何型態的圖書館的。例如說，美國的杜威十進位分類法、美國國會圖書館分類法、目前臺灣普遍使用的賴永祥中國圖書分類法等。這些分類法的特徵是：分類方式的設定，是早於編目行為，並且是獨立於編目行為之外的。也就是說，設立分類法的是一個人，編書目的又可以是另外一個人。而分類法是先設立好的，編書目的人只要按照分類法的規則，將書籍編入即可。只要這套分類法設計得當，便可適用於各圖書館，並且可以長期使用。

可是中國就不一樣了。自古以來就沒有人去編定一套「圖書分類法」。所有編書目的人就是他那套分類法的創始人，而且，除了他自己以外，也沒有別人會去用他的分類法。❶編目的人在編定分類法時，並不是考慮天下所有的各類圖書，而只是就他所要編的書籍來決定要設立那些類別。換言之，編目者是在面對他所要編的書籍時，才開始考量如何分類，而不是拿一套已經設定好的「圖書分類法」去直接將書籍歸類。在此運作方式下，每位編目者各行其是，所以，幾乎可以說歷代所有的書目中，沒有任何兩部是完全一樣的。

面對這樣的特殊情況，我們便該去思考：中國的「目錄學」，既不是一套提供檢索的「圖書分類法」，那麼，它應該是什麼？是

---

❶ 刻意沿襲的不在此列。如《漢書·藝文志》刻意抄劉氏父子的《七略》、《舊唐書·經籍志》刻意抄《古今書錄》等。

不是可以被定位為「學術分類法」呢？

二、編目的原始型態是學術分類

談到學術分類，是一個更複雜的問題。因為學術本來就不易分類，甚至有許多學門是有重複性質的。例如說中國傳統的經學研究，它固然可以獨立成為一門學科，可是其中《易經》既是哲學，又可以是民間宗教學；《尚書》又可以是政治學、《春秋》又可以是歷史學、《儀禮》又可以是社會學等。所以，學術分類本身就是一項十分困難的事。

可是學術分類在學術研究上仍有其必要性，問題是，它可不可以和目錄的分類相互配合？

其實，所有的「圖書分類法」都是朝著這個方向在努力，都在求圖書分類和學術分類儘量吻合。中國的目錄學亦是如此，只不過中國人的思考方式和西方不太一樣，西方的「圖書分類法」是以「分類法」為著眼點，學術分類是他們製定分類法的憑據；可是中國的目錄學家著眼點卻在學術分類，他們在架構學術系統時，理所當然的也架構了一套隸置圖書的系統。前者是用分類法來統屬圖書，可是後者卻是在劃分圖書的學門時，形成了分類的型式。所以，中國的目錄學中能形成許多不同的分類方法。就是因為各人的學術系統理念不同的原故；而因此所形成的各種圖書分類法，當然只是自然的結果而已。

中國最早的編目行為，事實上就是在做學術分類的工作時產生的。中國最早有系統的整理書籍，是在西漢末年元帝時期。當時受命校書的劉向，也被視為中國目錄學的始祖。可是當年劉向整理圖書的真實情況，卻始終不是十分明晰。目前所知的原始資料全部都記錄在《漢書》中。《漢書·成帝紀》河平三年條說：

> 光祿大夫劉向校中祕書，謁者陳農使使求遺書於天下。

這段敘述不夠詳盡，幾乎看不出什麼現象。在《漢書·楚元王傳》所附〈劉向傳〉中，對此事的敘述也仍然是十分曖昧不明：

> 成帝即位……是時，帝元舅陽平侯王鳳為大將軍，秉政，倚太后專國權，兄弟七人皆封為列侯。時數有大異，向以為外戚貴盛，鳳兄弟用事之咎。而上方精於詩書，觀古文，詔向領校中五經祕書。向見《尚書·洪範》箕子為武王陳五行陰陽休咎之應，向乃集合上古以來，歷春秋六國至秦漢符瑞災異之記，推跡行事，連傳禍福，著其占驗，比類相從，各有條目，凡十一篇，號曰《洪範五行傳論》，奏之。天子心知向忠精，故為鳳兄弟起此論也，然終不能奪王氏權。

同卷〈劉歆傳〉中說：

> （成帝）河平中受詔與父向領校祕書，講六藝、傳記、諸子、詩賦、數術、方技，無所不究。向死後，歆復為中壘校尉。哀帝初即位，大司馬王莽舉歆宗室，有材行……復領五經，卒父前業。歆乃集六藝群書，種別為《七略》，語在〈藝文志〉。

原始資料只有如此，實在很難從其中鉤勒出事情的真象。不過由《漢書》中所述，劉向所做的是「校書」工作。〈劉歆傳〉中說劉向是「領校秘書」，可見劉向是這項校書工作的總負責人，但是劉向並沒有真正校對所有的圖書，他們是分工校書的。《漢書·藝文志》總序說：

> 成帝時，以書頗散亡，使謁者陳農求遺書於天下，詔光祿大夫劉向校經傳、諸子、詩賦；步兵校尉任宏校兵書；太史令尹咸校數術；侍醫李柱國校方技。

劉向所校的只有經傳、諸子、詩賦三種，而且終其一生，這項工作都還沒有作完。為何劉向這項工作會做得這麼久呢？《漢書·藝文志》總序又說：

> 每一書已，向輒條其篇目，撮其旨意，錄而奏之。

原來劉向的工作除了要校經傳、諸子、詩賦之外，還要負責撰寫敘錄。而且是「每一書已」，劉向都要寫。也就是說，雖然劉向只負責校三類書籍，可是所有典籍的敘錄都由劉向執筆，這就是劉向工作了約二十年都無法完成的原因。劉向所寫的敘錄，是隨書上奏的。而劉向自己留在身邊，可隨時因校書進度而增益的單行本，就是所謂的《別錄》。❷

---

❷ 梁啟超對此情形曾有說明：「此如清乾隆間，《四庫提要》本散冠各書之

當年劉向在校書時，是將全國圖書分為經傳、諸子、詩賦、兵書、數術、方技六大類而已，或是已經分成三十八類，❸現在已經不可考；清代姚振宗編有《別錄》的輯佚本，其中所呈現的資料，是已經分好三十八類的，❹可是沒有任何資料可以證明其分類工作是劉向生前所為，或是其子劉歆所補訂。但是無論是那一種情形，我們可以肯定的是，劉向所做的工作，重點是在校書和撰寫敘錄，而且至死都尚未完成。至於書籍的編目工作，應是數年之後劉歆編《七略》時才展開的。❺也就是說，中國最早的有系統的整理全國圖書，並不是一個屬於「圖書館性質」的編目工作，而是屬於學術性質的校書工作。直到劉歆編《七略》，其性質才算是比較接近圖書館的圖書編目工作。

此事證據十分明顯，因為劉歆在編《七略》時，並未將劉向所撰的敘錄抄錄進去，只留下了最簡單的基本資料。❻我們可以這樣

首，後彙為《四庫總目》以別行矣。」見梁氏所撰《圖書大辭典·簿錄之部》，臺北市中華書局，一九五八年臺一版。

❸ 《漢書·藝文志》乃抄錄《七略》而成，該志於六略之下共分為三十八類。

❹ 《別錄》輯佚本的版本很多，廣文書局的《書目三編》、鼎文書局的《校讎學系編》中均有收錄。

❺ 我們如果仔細考索〈楚元王傳〉中所載的原始資料，便不禁使我們懷疑，劉向校書的原始動機似乎並不是為了要整理天下圖書，而只是為了要在書籍中找尋陽陰災異的事跡而已。可是此事並沒有其它的證據可尋，所以劉向的校書和王鳳的掌權之間有沒有因果關係，目前只能存疑。

❻ 例如說，《別錄》中的《晏子八篇》，其敘錄共有五百多個字；可是在《漢書·藝文志》中，《晏子八篇》的敘錄只剩下：「名嬰，諡平仲，相

揣測，劉歆認為世人要知道書籍的內容簡介，可以去參考《別錄》，可是要知道國家藏書有那些類別，各類之下有那些書籍，就可以來參考《七略》。《漢書・劉歆傳》和《漢書・藝文志》總序中都說劉歆「卒父業」，應該不能詮釋為劉歆所做是和劉向所做是同樣一件事，否則劉歆就沒有理由不錄劉向已經撰寫好的敘錄。因此，劉歆並沒有「刪去」父親的敘錄，他根本就是在做一件和他父親所做完全不同的事。

這是一件影響十分深遠的事。儘管劉歆所做和乃父不同，但是兩人之間的傳承關係在所難免。第一，書籍的範圍已經固定。劉向校書時，謁者陳農求遺書於天下。所以劉歆所處理的書籍和劉向是同樣的一批書；而這些書籍既然是由官方所徵集，而且是要送入宮廷中典藏，則必定是經過選擇和淘汰的，凡是過於俚俗和有違教化的書籍，當然不可能被送入宮中。第二，書籍的大類已被劃分。三十八類由誰所分，或許尚有質疑的餘地，但是六大略卻是早在劉向校書時就已確定。而這六略，明顯的是學術分類，並非圖書分類，我們只要從它的結構就可以明白的看出這點。❼而影響後世的是，這樣的分類方式和採錄範圍，竟然是由漢代到清代所有書目的圭臬。無論是七分法或是四分法，無論是史志書目、官修書目或私修書目，除了少數幾家力求突破外，大多在整體的編目概念上，都不離劉氏父子所創下的義例。

齊景公。孔子稱善與人交，有列傳。」十九字而已。

❼ 說詳下節，此處不重複。

三、目錄學與學術分類的關係

所謂學術分類，是指在設定書籍隸類的標準時，不單獨以書籍的自身為定位依歸，而是去考量這部書的學術特性；更進一步，在做分類時，也是將屬於同一學術性質的書籍歸為一類；若再向上推，則每一部的組成，也是由一組學術性質相同的類別所組成的。

舉例來說，自《漢書·藝文志》以下，所有的書目均將屬於文學創作的詩歌作品和《詩經》分立，前者隸屬於集部，後者則屬於經部。其實這兩者之間的本質是完全相同的，可是在學術觀念上，後者已經被冠上「經」的概念，具有高度的教化意義，所以它和一般的詩歌作品就有了分別，這就是學術分類的典型表現。同樣的情形比比皆是，例如《尚書》屬經部，性質相同的詔令卻屬史部；《論語》、《孟子》屬經部，其它儒家類的書籍屬子部；正統國家的歷史屬史部正史類，非正統國家的歷史屬偽史類；而私人所撰的史書雖然以紀傳體寫正統國家的歷史，但是又不入正史類，另立別史類或雜史類屬之等等。凡此種種，都是學術分類的表現。

中國的目錄學所以會走上學術分類的路，最主要的原因是因為中國沒有公共圖書館。因此書目的編纂者並不需要考慮書籍上架和查詢的問題，編纂者只要將他所要處理的書籍完全呈現在書目中即可。職是之故，書籍在做分類時，主要的功能便被定位在讀書指引，而非書籍的查詢。換言之，書目的類別，代表編輯者觀念中當代學術的門類，而使用書目的人，因為並沒有一個和藏書目相對應的圖書館可資利用，所以使用者並不是要由書目中查知書籍的所在，而是藉著書目來探索每類之下有那些書籍，再進而為自己開列出讀書的基本參考書目。鄭樵的《通志·校讎略》中有〈編次必謹類例論〉六篇，其理論最能表現這種使用觀念：

> 學之不專者，為書之不明也。書之不明者，為類例之不分也。有專門之書，則有專門之學，有專門之學，則有世守之能。人守其學，學守其書，書守其類。人有存歿，而學不息；世有變故，而書不亡。以今之書校古之書；百無一存，其故何哉？士卒之亡者，由部伍之法不明也；書籍之亡者，由類例之法不分也。類例分，則百家九流各有條理，雖亡而不能亡也。

很明顯的，鄭樵把分類的功能定在「專門之學」，認為有一門「專門之學」，就要有一個類別來隸屬它，這也就是本文所說的學術分類。因此我們可以說，在鄭樵的觀念中，有一個學門，就應有一個類別相對應。

他更將這樣的理論再繼續推演，認為可以藉各書目之間的比較，進一步來觀察學術類別的興亡流變。所以他又說：

> 類例既分，學術自明，以其先後本末具在。觀圖譜者，可以知圖譜之所始；觀名數者，可以知名數之相承。讖緯之學，盛於東都；音韻之書，傳於江左。傳注起於漢魏，義疏成於隋唐。睹其書，可知其書之源流。或舊無其書而有其學者，是為新出之學，非古道也。

鄭樵是中國第一個將目錄學的現象形諸理論的人。他理所當然的把目錄學看作是學術分類的表現，這不但是他歸納中國歷代書目的結果，也幾乎是中國後代所有書目的理論基礎。

可是鄭樵在歸納中國歷代書目的同時，也發現了中國目錄學發展到了唐代以後的諸多不合理的現象。尤其是在經部和子部，許多學術系統已經紊亂。例如經部中的禮類，後世的禮書不斷出現，如果和三禮之書相混，實在和「經」的定義不能相合；又如經部的樂類，事實上古代的《樂經》早就已經亡佚，自《漢書·藝文志》以下的樂類所收的書籍，全部都是後世所出，根本不能稱之為「經」。又如經部的小學類，雖然自《漢書·藝文志》以來一直都置於經部之中，但是小學和經學的定義到底不相同。而子部中自四分法確立以後，一直都是頗有疑義的，將諸子和科技、數術、藝術、醫學等並列，已經完全錯亂了學術系統。所以鄭樵在編纂《通志·藝文略》時，就將分類法加以革新，把四分法改成了十二分法。即：

> 經、禮、樂、小學、史、諸子、天文、五行、藝術、醫方、類書、文。

這十二大類中，「史」就是四分法中的史部，「文」就是四分法中的集部，定義上都沒有變動。但是針對四分法的缺失，將四分法的經部拆成經、禮、樂、小學四種；更將子部拆成諸子、天文、五行、藝術、醫方、類書六種。如此一來，不但使學術系統又重新表現在書目之中，更彰顯了四分法在呈現學術系統時的不當；尤其經

部和子部，最是錯亂的根源。❽

因此，鄭樵在編《通志·藝文略》時，十分注重學術系統。他在十二大類之下，分成一百五十五小類，然後其下又再分為二百八十四個子目。雖然鄭樵所設立的類別並不一定都是正確無誤，可是他的作法，卻可說是中國目錄學以學術分類作為特色的一個明證。

鄭樵的分類法並沒有在中國的目錄學史上產生倣效作用，連較為合理的七分法，如《漢書·藝文志》、劉宋時王儉的《七志》、梁阮孝緒的《七錄》、隋許善心的《七林》，也都不再被採用。❾宋代以來，四分法仍是書目分類的標準方式，可是以學術分類作為目錄學的基本思考點，而使用者將書目視為學術系統的依據，卻是中國目錄學的不變傳統。

四、書目的詮釋性和主觀性

其實走上學術分類的途徑，並不只是「傳統」兩字就可以完全詮釋的。最根本的問題，還是在於中國自古以來就沒有「公共圖書館」的觀念，藏書是國家的責任，而教化則是藏書的目的。既然這些圖書是拿來統籌運用，藉以轄制學術，推行教化，那麼這些圖書當然就是不公開給一般民眾的。於是這形成了一個循環論證的現

---

❽ 當然，這並不表示四分法的書目就完全沒有辦法表現學術分類，我們只要將觀察點再下降一級，不要從「部」的位置，而從「類」的位置來看，仍可看出中國目錄學中學術分類的本質。

❾ 七分法並沒有固定是那七個大類，雖然都以七為限，但是和四分法相較，它們可以說是隨著學術的變遷而隨機調整的。所以七分法比四分法的固定模式要合理的多。

象：藏書是國家箝制學術的利器，當然不開放給民眾；又因為圖書的收藏並不是為了給民眾利用，所以當然不必考慮民眾的冀求，一切以國家利益為前題即可。

上文也曾經討論過，在中國的目錄學觀念中，書目的作用在於作為讀書的指引。既然如此，那麼書目的編纂就不可能是全面性的。在編者和使用者都只期待看到「有指導性的書目」的交互影響下，書目的編纂自然就呈現了並非全然客觀的特性。從這樣的角度來看，如果我們曾經有「書目是客觀的呈現」的傳統觀念，現在便應重新檢討。

在各公私書目的各序文中，早已透露出了這樣的訊息。《漢書·藝文志》的大序中說：

> 迄孝武世，書缺簡脫，禮壞樂崩，聖上喟然而稱曰：「朕甚閔焉」。於是建藏書之策，置寫書之官，下及諸子傳說，皆充秘府。

可見在班固的眼中，書籍的典藏，是和禮樂教化有直接的關係。於是所有的書籍是否收錄，其標準亦以教化為主。六藝、諸子所以採錄，是因為「若能修六藝之術，而觀此九家之言，舍短取長，則可以通萬方之略」，⑩也就是說，它們之所以被收錄，是因為其意義的原故，而不是因為它們實質的存在於當世。同理，詩賦的收錄，

---

⑩ 此語典出該志諸子略總序，其中所謂九家，指先秦諸子九流十家中的九流。

是因為「可以觀風俗、知薄厚」；方技的收錄，是因為「論病以及國，原診以知政」。⓫一切都從施政的角度去考慮，都從教化的立場去定標準。這樣的書目，當然是有高度選擇性的。

約一千八百年後，清廷編纂《四庫全書》，這樣的觀念非但未改，而且還有變本加厲之意。《四庫全書總目》卷首有「凡例」二十則，其中第十三則最能表現出該書目的高度選擇性：

> 文章流別，歷代增新。古來有是一家，即應立是一類作者；有是一體，即應備是一格，斯協於全書之名。故釋道外教，詞曲末技，咸登簡牘，不廢蒐羅。然二氏之書必擇其可資考證者，其經懺章咒，並凜遵諭旨，一字不收；宋人朱表青詞，亦概從刪削。其倚聲填調之作，如石孝友之《金谷遺音》、張可久之《小山小令》，臣等初以相傳舊本，姑為錄存，並蒙皇上指示，命從屏斥。仰見大聖人敦崇風教，釐正典籍之至意，是以編輯雖富，而謹持繩墨，去取不敢不嚴。

《四庫全書》的編纂者並非不知要一家一體皆各備一格，但是在「敦崇風教，釐正典籍」的大纛之下，所有不合禮教的書籍都必需要刪除。以此為標準，這部號稱是「全書」的史上最大叢書，除了佛、道兩教的「經讖章咒」、「朱表青詞」，以及靡靡之音之外，不能收錄的尚有與聖賢之說不合的「異說空言」、有朋黨之嫌的著作、和「離經畔道，顛倒是非」、「懷詐挾私，熒惑視聽」的書

⓫ 俱見該略總序。

籍。而方技方面的書則只能收錄「稍古而近理者」，並且只能「各存數種，以見彼法之梗概」。⓬

這些寫在凡例中的規則，其實只是一部分而已。有些書籍不能被列入書目之中，早就已經是慣例，根本不需要經過考慮和討論的。例如商業方面的書、民間的戲曲小說，佛、道之外的民間宗教等，均不可能被收錄。而這些不能被收錄的書籍，其理由大多十分的不明確，只要稍被曲解，立刻就有許多書籍會遭到被毀棄的命運。所以《四庫全書》在編纂時，大收天下圖書，可是被毀的約有四千種，收錄在全書之中的，卻只有三千四百五十七種，被毀的書籍竟然比被收錄的書籍還要多。⓭

其實不只是《四庫全書》如此，其它的書目只是沒有凡例讓我們明顯的看出它的收錄標準而已。歷代所有的書目，具有高度選擇性的還是占大多數。其中有許多是編目者也身不由己的，我們只要查閱一下中國歷代的禁書資料，便可知道不能被列載的書籍事實上是真十分龐大。⓮

當然，也有許多書目的編者，除了身不由己的限制之外，也會因著一些特定的原因，只選擇性的收錄書籍。例如明清時期，戲曲小說已經很流行，可是在一般讀書人的觀念中，戲曲小說是不登大

⓬ 俱見《四庫全書總目》卷首凡例。

⓭ 參見吳哲夫先生所撰《清代禁毀書目研究》，嘉新水泥公司文化基金會出版，一九六九年八月，臺北市。

⓮ 可參見陳登原先生撰《古今典籍聚散考》，河洛圖書出版社，一九七九年五月臺灣影印版。或《中國禁書大觀》，安平秋主編，一九九〇年三月，上海文化出版社。

雅之堂的，所以儘管是私家書目，也幾乎都不收錄戲曲小說。

大致說來，無論是官方或私家書目，由於對於禮樂教化的觀念一致，所以書目的採錄標準也率多相同。於是，這就造成了中國目錄學中的共同現象，即書目的編纂是有選擇性的，而且這個選擇，都是由主觀的理念構成。

換言之，中國的目錄學其實不能簡單的被定義為工具性的學門。它並不是像許多「工具書指南」之類的書中所認定的，只會「客觀的呈現資料」，它反而是一個能夠「主觀詮釋資料」的學門。書目的編纂者因由主觀的學術理念，再配合使用者的需求，編出詮釋性的書目。它同時呈現了在每一個朝代中，有那些書籍是受到重視，又有那些書籍是雖然存在都不能被收錄。我們藉著收錄和不被收錄的相對考察，一個朝代的學術風貌，就可立刻呈現眼前。

五、應亟探索目錄學的內在意義

目錄學既然是可以詮釋的學科，又以學術分類為本質，那麼我們接下來就應考慮它的內在意義的問題。

雖然清代的章學誠在《校讎通義》中說目錄學的功能是「辨章學術，考鏡源流」，而且自此之後，這句話被視為是解析目錄學的最佳典範，可是在真實的學術研究上，目錄學仍是被當作工具來看待。我們只能看到研究者徵引歷代書目作為書籍是否存在的佐證，頂多看到有些學者用到了鄭樵的觀念，藉分類來說明學門的始末；但是，我們看不到任何利用書目全面反省學術發展的研究成果。

之所以會如此，是因為目錄學的研究多未涉及其內在意義的探索。⑮學理不彰，當然使用者就只能將書目的功能局限在工具書的性質。如今要扭轉這種現象，目錄學的內在意義，亦即其理論的研究，應為當務之急。

---

⑮ 目前只有胡楚生先生的《中國目錄學研究》是較為深刻的理論研究專著，一九八七年臺北市華正書局出版。汪辟疆先生的《目錄學研究》則較偏向歷代書目的流變，尚非純粹的理論研究。汪氏書成書於一九三四年，在臺有一九七三年文史哲出版社再版發行。其餘有關目錄學的專著，多屬「目錄學史」的範疇，最具代表性的，是昌彼得先生的《中國目錄學》，一九八六年文史哲出版社修訂出版。

第二章　因書以設類的分類法

一、分類原理

分類一事，無論在傳統中國目錄學，或近代圖書館學上，皆是重要而具關鍵性的一環。分類的方法、原則及結構等，都可決定一部書目或一套分類法的優劣及價值。在傳統中國目錄學中，一談到分類問題，大多都讓人立即聯想到分類的多寡；也就是說，大多數人談分類都在討論該採用七分法、四分法，或是五分、多分等數量的問題。事實上分類的多寡的確有其重要性，甚至可以牽扯到學術分類、學術派別等問題。但是除此之外，分類一事應該尚有原理上的問題，是現在我們重新評估中國目錄學的優劣時所不能忽視的。

所謂分類原理，意指構成分類方式的基本理念，這個基本理念，是先於分類行為的，它可以有兩個不同的思考方向，一是先規劃好類別，再去編目。另一個方向則是根據手中所有的圖書，去製定類別。這兩個不同的方向，可造成不同的影響，前者構成了規格化的「圖書分類法」，它的系統性，使書籍在隸類或檢閱時均很方便。而後者則是浮動式的，它忠實反應各時期的書籍，但卻不易檢閱。

二、部類圖書與圖書分類法

中國的目錄學始於西漢末年劉向、劉歆父子受命整理圖書。對此我們應該注意的關鍵問題，即是當時整理圖書的方法，究竟是先搜求圖書，再依所得的圖書加以分類，或是先討論訂定出一套有系統的圖書分類法，再將所有的圖書依其性質或體例分班就位？也就是說，當時整理圖書的觀念，是「因書以設類」，還是「依類以歸書」？若是後者，我們便可說中國在西漢末年便已有了一套有固定標準和格局的「圖書分類法」；若是前者，那麼我們只能說劉氏父子是在「部類圖書」而已。

《漢書・藝文志》的大序說：

> 成帝時，以書頗散亡，使謁者陳農求遺書於天下。詔光祿大夫劉向校經傳、諸子、詩賦；步兵校尉任宏校兵書；太史令尹咸校數術；侍醫李柱國校方技。每一書已，向輒條其篇目，撮其旨意，錄而奏之。

《漢書・成帝紀》則說：

> （河平）三年……秋八月……光祿大夫劉向校中秘書，謁者陳農使使求遺書於天下。

我們從這些原始資料上，很難判斷究竟是劉向先訂下圖書分類的標準，然後將陳農蒐來的書依類歸併，還是陳農先蒐求來自各地圖書後，劉向再因書籍的性質或體裁去分類。

劉氏父子將整理出來的圖書目錄，編成《七略》，此書雖然早已失傳，❶但是我們若從根據《七略》修訂而成的《漢書·藝文志》的內容來舉證，上述疑惑應可迎刃而解。

《漢書·藝文志》的體例，是將所有圖書分成六藝略、諸子略、詩賦略、兵書略、數術略、方技略六大部分，❷每略下再分「類」，如〈六藝略〉下分為：易、書、詩、禮、樂、春秋、論語、孝經、小學九類。在這六略中，詩賦略的分類十分特殊，它共分成五類：

屈原賦等二十家

陸賈賦等二十一家

孫卿賦等二十五家

雜賦十二家

歌詩二十八家

《漢書·藝文志》原本每一類之後皆有小序一篇，以說明該類的源流及採錄標準。但是〈詩賦略〉卻十分特殊地沒有小序，後世學者對此事始終都是莫名所以，章學誠在《校讎通義》內篇〈漢志詩賦〉篇內，也只有存疑道：「不知劉、班之所遺耶，抑流傳之脫簡

---

❶ 《七略》一書，在《新、舊唐志》中還有記載，當是在宋代時亡佚。今有嚴可均《全漢文》本及馬國翰《玉函山房》本等輯本傳世。

❷ 《七略》是除上述六略外再加上各略、類解題性質的〈輯略〉。《漢書·藝文志》將〈輯略〉之文打散，分別將解題放在各略、類之後，形成總序、小序的體裁。所以《七略》和《漢書·藝文志》在習慣上雖然都被視為七分法，事實上只有六分。

耶？」所以，當初〈詩賦略〉是如何分成這五類的，我們已無法偵知。可是若直接就原書來看，這五類中除〈雜賦〉和〈歌詩〉算是立意較為明顯的兩類外，其餘三類看來似乎根本就沒有明確的分野。〈詩賦略〉總序說：

> 大儒孫卿、及楚臣屈原，離讒憂國，皆作賦以風，咸有惻隱古詩之義，其後宋玉、唐勒。漢興，枚乘、司馬相如，下及揚子雲，競為侈麗閎衍之詞，沒其風諭之義。

由此看來，則孫、屈、宋、唐等人當為一類；枚、司馬、揚等人當為一類。可是〈詩賦略〉中，孫卿、屈原各為一類，宋、唐、枚、司馬屬之屈原類下，而揚雄則屬之陸賈一類。如此分類，實在教人大惑不解。章學誠《校讎通義·漢志詩賦》內談到這一現象時，只是用疑似的口吻說：「名類相同而區種有別，當日必有其義例」，卻無法作肯定的解釋。《劉申叔遺書·論文雜記》則以為〈詩賦略〉中除〈歌詩類〉以外，其餘四類的賦中，〈雜賦類〉為「漢代之總集也」，另三類為分集。並以為：

> 分集之賦復分三類，有寫懷之賦，有聘辭之賦、有闡理之賦。寫懷之賦屈原以下二十家是也，騁辭之賦陸賈以下二十一家是也，闡理之賦荀卿以下二十五家是也。

顧實撰《漢書藝文志講疏》亦有類似的看法，以為屈原賦之屬為「主抒情者」，陸賈賦之屬為「主說辭者」，荀卿賦之屬為「主效物者」。❸而他們的說法，與〈詩賦略〉總序所論又不盡相合。

現在姑且不論漢賦的派別是否究竟分成屈、陸、孫三家，或是劉申叔等人所論是否正確；但是我們可由以上論述看出一個共同的方向，即〈詩賦略〉對漢賦的分類，是以風格或傳承為標準的。風格及傳承，是屬於歸納性的產物，是一種體裁產生以後才衍生出來的現象。因此以無法預設的風格及傳承作為分類標準，必是因書以設類，而不是在整理圖書之初便先作系統化的圖書類型分類，再依類以歸書。

我們可再從另一個角度來舉證：《春秋》一書在中國向來被視為經書之一，可是就實際內容來看，《春秋》毫無疑問的是一部歷史書籍。《漢書·藝文志》基於傳統的學術觀點，將《春秋》置於〈六藝略〉中，以彰顯一門合「六藝」為一體的獨立學術，這是正確的。但是〈春秋類〉之中，卻包含了許多其他史書，例如《國語》、《世本》、《戰國策》、《太史公》、《太古以來年紀》等，這些書根本與《春秋》無涉，所以併在〈春秋類〉中，乃因它們和《春秋》一樣是「史書」，因此，在〈春秋類〉內，就同時使用了經和史兩個不同的採錄標準，這是第一個值得商榷的地方。其次，中國早就有「史」的觀念，❹史書更是由來已久，如晉之

---

❸ 或可參見《漢書藝文志注釋彙編》，木鐸出版社，一九八三年九月初版，臺北市。

❹ 《廣韻》〈九魚〉「沮」字下引《世本》云：「沮誦倉頡作書，並黃帝時史官。」此說並不可靠，但《世本》一書成於先秦則無疑，所以在漢代以前，史的觀念早已成立。

《乘》、楚之《檮杌》、魯之《春秋》等。❺所以在圖書分類上來看，「史書」是應該獨立成為一類的。《漢書·藝文志》既然已經知道要把《國語》等十一部書置於〈春秋類〉中，可見《漢書·藝文志》很清楚的知道這十一部書是「史書」。既然明知是「史書」，而併入〈春秋類〉，這就不合圖書分類的原理了。若說是因為「史書」的數量不多，以致於併入〈春秋類〉中，那就更違反了分類原則。因此，《漢書·藝文志》並未再設立「史書」一略，以收與《春秋》意義迴異的史書，這是第二個值得商榷的地方。基於這兩個現象，我們可以歸納出：《漢書·藝文志》並未在獲得圖書之前，就先分好圖書類別，而是拿到書以後再視情形分類，才會出現史書入〈春秋類〉的現象。❻也就是說，《漢書·藝文志》是「因書以設類」，而非「依類以歸書」。所以，從劉氏父子到班固，他們處理圖書的方法，都是去「部類圖書」，並未創立一套「圖書分類法」。

《漢書·藝文志》是劉歆《七略》的翻版，這已是不爭的事實。我們談《漢書·藝文志》處理圖書的方法，事實上也就是《七略》處理圖書的方法。因此我們可以說，在中國目錄學創立之始，

---

❺ 參《孟子·離婁下》。

❻ 在此可能產生的一個疑問是：當初班固是否有可能把視為「經」的《春秋》和視為「史」的《國語》等書看成一類，然後才依類以歸書？可是若我們反觀〈六藝略〉中的〈詩類〉，和〈詩賦略〉諸籍，它們的情形不正相當於《春秋》和史書嗎？《詩經》並未和〈詩賦略〉合併，可證班固能清楚分辨「經書」和其他書籍在意義上的不同。因此本文在此的推論，應可成立。

便是採「因書以設類」的方式，並未為後世立下一個系統化的「圖書分類法」。

三、歷代所沿襲的分類觀念

這種因書以設類的方法，被漢代以來近兩千年的目錄學家所遵奉。大家都因書以設類，都各自視自己所面對的書籍的種類、多寡，或是憑自己的獨家見解去編排一套類目，或參考前人類目加以改變。這樣的處理圖書的方式，造成了一個驚人的結果，就是近二千年來，除了刻意的承襲外（例如《漢書·藝文志》之於《七略》），中國幾乎沒有任何兩部書目的類目是完全相同的。也就是說，中國近二千年來根本就沒有一套受多數人認可，規格化的圖書分類法。

雖然從唐代開始，將圖書分為經、史、子、集的四分法已大行其道，從表面來看，中國的圖書分類已似統一於四分法之下。可是我們若從另外三個角度來看，卻又未必。第一，四分法仍是部類圖書的結果，不是一種規格化的圖書分類法。四分法首次出現是晉代荀勗的《中經新簿》，他所分的部類為：❼

一、甲部：六藝及小學等書。

二、乙部：古諸子家、近世子家、兵書、兵家、數術。

三、丙部：史記、舊事、皇覽簿、雜事。

四、丁部：詩賦、圖贊、汲冢書。

由類別來看，荀勗的乙部相當於後代的子部，丙部相當於史部，但

---

❼ 《中經新簿》已佚，此處乃據《隋書·經籍志》序。

是各部之間分界並不嚴謹。荀勗所以要將圖書併為四部，並不表示他是有計劃的規劃中國所有的圖書為四大部門，否則他就不會把兵書與諸子並列，把屬於類書的《皇覽簿》與史書並列，把《汲冢書》與詩賦並列。他只是因為當時圖書結構改變了，兵書、數術等書的重要性和數量銳減，史書的數量增加，才作如此安排。東晉時李充編《晉元帝四部書目》，❽將乙、丙兩部的內容互換，即乙部為史、丙部為子，雖然他未說明理由，不過以晉代以後史書數量增加十分迅速的現象來推斷，李充當是以書籍的數量和重要性來安排次第的。由此可見，四分法的設立，仍舊是因書以設類，並非有體系的去安排一套可以展開的圖書分類法，以致於唐代以後的官修書目將之視為正統來沿用以後，處處縛手縛腳，造成許多勉強歸類的情形；而子部更是由收錄一家之言的書籍變成漫無標準的大雜膾了。

第二，使用四分法的多是官修書目，私撰書目則四分與非四分互有消長，並未完全奉四分法為圭臬。如宋代鄭樵的《通志·藝文略》分十二大類；鄭寅《鄭氏書目》分七大部門；明代的陳第《世善堂藏書目錄》分六部；清初錢謙益的《絳雲樓書目》分七十三類等。這些不守四部成法的書目數量很多，而且彼此之間分門別類的標準差距極大。

第三，採用四分法的書目，無論官修或私撰，彼此之間亦有變

❽ 此目亦亡佚，唐釋道宣《廣弘明集》卷三載梁、阮孝緒《七錄》序說道：「……著作郎李充……因荀勗舊簿四部之法，而換其乙丙之書，沒略眾篇之名，總以甲乙為次。……」

異。如唐代元行冲的《群書四部錄》，❾分四部四十二類。宋代陳振孫的《直齋書錄解題》分四部五十三類；元代馬端臨的《文獻通考·經籍考》分四部五十六類；明代焦竑《國史經籍志》分四部四十八類；清代《四庫全書》分四部四十四類等。

我們把這些現象相互配合來看，就可發現歷代編書目的人，都是在面對一批圖書，有了編輯書目的需求以後，再斟酌前人的部類方式，並增減以配合眼前的圖書。因此只要有人編一套書目，中國目錄學史上就多一套部類圖書的方式。有人遵循四分法，但加以改變；有人乾脆就打破限制，自立門戶，尤其是越到後期變化越大。這些都是歷代編修書目者力圖尋找出一套最恰當的門類，而不斷努力的結果。

可是，這種企圖統合既有學術和新興學術的努力，雖然使我們藉著部、類的損益看出了學術消長的大勢，但始終卻沒有一個修書目的人能突破傳統的思考方法，將「分類」獨立於書籍之外，編出一套可先於書籍存在的「圖書分類法」。甚至，我們幾乎無法找到獨立討論分類法的文獻資料。❿

四、書目的編輯原理與編輯目的

其實無論是先設立圖書分類法的「依類以歸書」，或是以現有

---

❾ 此目亦亡佚，此處據《舊唐書·經籍志》序。

❿ 《吳興藏書錄》中載明、茅元儀《白華樓書目》自序，稱其書目共分九學十部，即經學、史學、文學、說學、小學、兵學、類學、數學、外學；另外再加上有關科舉時文的世學，合稱九學十部。這應該可算是先行設類的圖書分類法，可惜此目已佚，無法考索。

圖書為考量依據的「因書以設類」，它們之間並沒有絕對的優劣。任何一種分類法的優勝劣敗，都要看它是否適用於當代而定，更要看它編製時的目的而定。

中國歷代的書目，其編製目的，並不在供一般民眾檢索用。由於中國在清代中葉以前，並沒有一個真正供民眾使用的公共圖書館，⓫所以中國歷代書目的編製者，並沒有去思考「書目」和書架上庋藏的圖書順序有什麼關係。他們所考慮的，一是如何將書籍「學術系統化」，二是如何在書目中傳達出教化思想。

我們若由中國書目的編纂史來看，就可看出這個特徵十分明顯。就官方來說，中國自西漢末年，成帝詔收天下圖書，用以編修書目，一直到清代最著名的、規模最大的官修《四庫全書》，凡是編輯書目，大多都有徵集天下圖書或重整宮廷藏書的行動相互配合而行。可是每次徵集圖書或整理圖書，其目的都並不是要建一座圖書館，開放給全國的百姓使用，而是全部徵集來的圖書，都運入宮廷，統屬於皇室；整理好的圖書，也都隸屬於皇室。除了皇帝本人、一些特定的官員如史官等，以及管理圖書的官吏之外，一般官員都不能自由的借閱圖書，更不用說是普通的老百姓了。⓬其次，

⓫ 光緒二十二年五月二日，刑部左侍郎李瑞棻上疏請「推廣學校以勵人才」，其中論及「藏書樓」時說：「高宗純皇帝……特於江南設文宗、文匯、文瀾三閣，備庋秘籍，恣人借觀……今請依乾隆故事，更加推廣，自京師及十八省省會，咸設大書樓……」可見我國的官辦公共圖書館要到乾隆年間才開始，而真正推廣，還要到清代末年。詳見朱壽朋《十二朝東華錄》光緒朝部分。一九六三年臺北市文海出版社。

⓬ 有一個著名的例子可以說明此一現象。《隋書卷七十六·虞綽傳》中記

中國歷代官方在編輯書目時，從來不以天下各類的圖書為編輯範疇，而是以選擇過的、能夠和教化相互配合、能夠發揮修齊治平之道的學術性書籍為編輯範疇。試看中國所有的官修書目，從來不見商業性的書籍，從來不見民間戲劇、章回小說，從來不見非難儒家的論述出現，可見這些書目都是有其目的性的，並不是要將全國圖書編入書目，供全國任何人使用的作法。⓭

中國書目的這種編輯觀念，使得中國的書目並不在檢閱圖書，而變成了一種讀書的指引。歷來使用書目的人，從來不會有人希望有某一個圖書館與之相互配合，並可即目求書。⓮大家面對書目時，是以探求類別有多少、偵知各類之內有那些圖書的心態來「閱讀」的，而非拿來「檢索」的。這一方面，和西方「目錄」和上架書籍要相互配合，並且不是供人「閱讀」，而是要便於供人「檢索」的基本觀念，是完全不同的。

就此觀點而論，中國書目在編製時所使用的「因書以設類」的

載：虞綽與當時的禮部尚書楊玄感為友，後來有人「告綽以禁中兵書借玄感，帝甚銜之。」這其中或許有兵書不許觀覽的可能性，但以楊玄感身為禮部尚書，尚且不能隨意的觀看圖書，其他的官員就可想而知了。

⓭ 此說可參見盧荷生先生所撰《中國圖書館事業史》第十一章〈我國圖書館事業的特點〉一文。（一九八六年臺北市文史哲出版社）盧先生列出了四項特點，一為源自官府，二為旨在濟世，三為囿於學術，四為疏諸群眾。盧先生所述甚詳，此處不再贅引。

⓮ 只有一個例外，就是乾隆四十七年典藏《四庫全書》的南三閣開放時，《四庫全書總目》和該三館所藏是相互配合的。在清代末年西式的新型圖書館設立以前，書目與館內架上圖書可以相互配合並開放使用的，僅此一例。

原理，和其所設定的作為讀書指引的原始目的是相合的。因此，書目都是以這個原理去編製，並被推行了千餘年之久。它和西方的「圖書分類法」之間，並沒有什麼優劣的問題。而且，確定中國沒有「圖書分類法」，並非否定中國目錄學的價值，因為中國歷來「因書以設類」的方式，使我們明顯的看出了各代學術消長的情形，我們由每一「部」中類目的增刪分併，也可清晰的比較出圖書文獻的大致走向。

或許「因書以設類」的編輯原理，加上囿於「四分」的傳統觀念，使得我國的目錄學在清末西學輸入後便因不敷使用而陣腳大亂，但在此之前，中國的目錄學的確發揮了整理圖書和指導治學的功效。

第三章　四分法的定義及分類準則

一、居於主導地位的四分法

隋唐以來，四分法在我國的圖書分類上一直居於主導地位，不但史志書目除《漢書·藝文志》外全部採用四分法，官修書目更是視四分法為圖書分類上的正統方法；而私修書目雖有不少企圖突破四分法的藩籬，但是千餘年來，四分法仍是主流，始終屹立不搖，甚至到了可以用「經、史、子、集」這四個字來統括中國傳統學術的地步。無怪乎乾隆皇帝在下令編修四庫全書時，就曾說：

> 朕意從來四庫書目，以經、史、子。集為綱領，裒輯分儲，實古今不易之法。❶

而這個「古今不易之法」真的是完善無瑕的嗎？所謂「經、史、子、集」，意思是說我國的圖書是分成這四大部門，可是這個情形，真是「古今不易」的嗎？

按自《漢書·藝文志》以下，中國目錄學的傳統特色，一向是

❶ 見四庫全書總目提要卷首，乾隆三十八年二月十一日上諭。

圖書分類即為學術分類。據此，漢代學術可大別為六藝、諸子、詩賦、兵書、數術、方技六大部門；到了兩晉，兵書、數術、方技不再像漢代那樣受重視，遂併入諸子，而史學則於此時逐漸蓬興，因而史書獨立成為一部，我國學術至此大別為經、史、子、集四部門。若以此觀點來看，在兩晉以前，目錄上的分類，的確代表了當代的學術大流派。但我們若用同樣的觀點來看隋唐以下的學派，卻全然不通，因為隋唐至清代，圖書目錄仍以四分法為正宗，但真正的學術派別，經過一千五百年左右的發展，卻遠非四分法所能涵括，於是目錄分類便與學術分類時有扞格，不能緊密相合。

面對這種情勢，隋唐以下的書目編輯者產生了兩種截然不同的因應之道，一種是打破四分成規，以自己對學術的理念去作分類，例如宋代鄭樵《通志・藝文略》分十二大類，一百五十五小類，二百八十四子目；明代陳第《世善堂藏書目錄》分成六部六十三類等。或乾脆用「標題目錄」的方式，不再分成部類兩級，如清初錢謙益的《絳雲樓書目》等。另一種是謹守四分成規，卻在部下之類中作文章，企圖建立一些新的類別，或改易以前類別的內容、名稱，藉以涵括當代學術門類，例如《隋書・經籍志》以來的各史志書目及《四庫全書總目》等。關於前一種方法，因著各人理念的不同、目的不同，❷大家各行其是，並沒有一定的標準。對於他們的

---

❷ 有的書目目的在於整理古今典籍，所以必須處理龐大的資料、運用較複雜的分類方法，如鄭樵《通志・藝文略》即是。有的書目則僅是整理個人的藏書，所以只針對自己所藏書籍的數量和種類來分類，例如宋代鄭寅《鄭氏書目》，將所藏圖書分成經、史、子、藝、方技、文、類書七大類等。

優勝劣敗，如是以個人所藏來分類，就根本沒有完整與否可言，所以在此這一部分我們暫不討論。至於後一種謹守四分成規的分類法，卻是用同樣的「四分」觀念，去面對一千五百多年來不斷變化的學術流派。在四分不變，學術一日千里的情況下，兩者相去日遠，實在已有許多無法相互配合的現象產生。但是，中國的書目編輯者仍是硬把四分法推行了一千五百多年之久。因此，我們便不禁要問：這一千五百多年來，我們的書目是如何用不變的四分法來因應不斷變化的學術內容的？所以歷代書目在分類時所採取的準則，該是一項值得探討的問題。而且，任何分類法在設立之初，若已有完備的定義，那麼後代在分類時的準則應是統一的。我國圖書分類法的歸類準則既未統一，那麼歷代對四分法的定義又是如何呢？

二、經、史、子、集的定義問題

四分法最早見於西晉武帝咸寧五年（西元二七九年）荀勗所編的《中經新簿》。此書現已失傳，據《隋書·經籍志》序文的敘述，此書是分成甲、乙、丙、丁四部的，其內容如下：

甲部：六藝及小學等書。

乙部：古諸子家、近世子家、兵書、兵家、數術。

丙部：史記、舊事、皇覽簿、雜事。

丁部：詩賦、圖贊、汲冢書。

我們由它的內容，很明顯的可以看出幾個現象：

第一，荀勗只用甲、乙、丙、丁來命名四部，甲、乙、丙、丁只是一個代號，並沒有任何定義問題，所以我們不能去硬性劃分這四部每部的內容應當是什麼。

第二，若以後代的眼光來看，這四部的內容大致是甲經、乙子、丙史、丁集。

第三，若再仔細釐析這四部的內容，當可發現它們歸類並不嚴謹。昌彼得先生即評論說：

> 它的部次零亂，例如《皇覽》、《史記》並列，汲冢書不入丙部而附於丁部，兵書與兵家分列，令人不解其意。❸

可是不管它歸納如何紛雜，我們只能說荀勗在歸類時把不同類的書放在同一部門下，卻不能說某部的內容應當是什麼，或是去評論某部之下應當收錄那些類的書，因為荀勗只用沒有定義的甲、乙、丙、丁去分部，而非用後代涉及定義問題的經、史、子、集。

第四，荀勗分部的順序，是目錄學史上僅有的一次，到了東晉穆帝永和五年（西元三四九年）李充撰《晉元帝四部書目》時，已經互換乙、丙兩類的內容，❹自此以下一千五百餘年，四分法就一直以經、史、子、集的順序傳世。

由上述幾個現象，可以得知四分法在創立之初，並不是一套經過精心設計的分類法，而且並沒有考慮到學術分類和圖書分類等問題。我們甚至可以這樣推測：《中經新簿》所以將書籍分成四部，

---

❸ 參見昌先生《中國目錄學》下篇第二章。文史哲出版社，一九八六年九月初版，臺北市。

❹ 梁阮孝緒《七錄》序說：「著作佐郎李充……因荀勗舊簿四部之法，而換其乙、丙之書，沒略眾篇之名，總以甲、乙為次……。」

是因為當時的圖書數量很少，而且漢代盛行的學派如兵家、數術等，也已不再那麼受重視，所以荀勗就將七略中的部門濃縮合併，成了四分法。據梁·阮孝緒所撰《七錄》後附〈古今書最〉中所載：《中經新簿》僅一千八百八十五部、二萬九百三十五卷而已，❺像數量這樣少的圖書，大致劃分成四部，當是合理的。

這個每一部門沒有下定義，分隸也不嚴謹的四分法，在東晉時經李充調整，互換了乙、丙兩類的位置以後，就在南北朝一直大行其道。當時整個社會一直處在動盪不安的情況下，著作不多，書籍也鮮有大量聚集的機會，這種簡便易行的分類法剛好十分合用。再加上當時私人還沒有編修個人藏書目錄的風氣和能力，這種四分法都是被官府採用，❻於是就逐漸形成一種傳統，凡是官府書目均以四分法為正統。例如：宋元嘉八年《秘閣四部目錄》、宋元徽元年《四部書目錄》、齊永明元年《秘閣四部目錄》等。到唐初修《隋書·經籍志》時，這項傳統已可說是獲得十分穩固的地位了。

《隋書·經籍志》是第一部用經、史、子、集來為四部命名的書目。❼不過嚴格說來，《隋書·經籍志》在為四部命名時，似乎

---

❺ 阮氏《七錄》原書已佚，其序文及〈古今書最〉現存於唐釋道宣所編《廣弘明集》卷三中。此統計數字亦見於《文獻通考·經籍考》的總敘中，惟作二萬九千九百四十五卷，不知何者較近事實。

❻ 南北朝時期，尚未出現私家書目，而幾乎所有的官修書目均採四分法。可參見昌彼得先生《中國目錄學》下篇第三章，及姚名達《中國目錄學年表》等。

❼ 經、史、子、集這幾個字早在北齊時，顏之推就已提出，見《北齊書·顏之推傳》中顏氏〈觀我生賦〉自注。但用於書目，仍以《隋書·經籍志》最早。

仍不十分肯定，這一點我們由「經部」即可看出。《隋書・經籍志》其實是沒有「經部」這兩個字的。它在卷一末尾的統計數字上，是以「六藝經緯」為標題，在此部總序中，也只說「班固列六藝為九種，或以緯書、解經合為十種」，❽並沒有標舉出「經部」兩字。而對於何以將全書分成四部，這四部的名稱和內容如何定義，卻是未加說明，頂多只在子部總序中說：「漢書有諸子、兵書、數術、方技之略，今合而敘之，為十四種，謂之子部。」至於為什麼如此合併，卻又隻字未提了。

所以四分法從一開始使用，到《隋書・經籍志》之被確立地位，始終處在一種定義不明的情況下。前代諸目的情況如何，已無可考，《隋書・經籍志》中的部類歸隸情形，則有明顯的疑義。例如「經」在中國有其獨立特殊的地位，不容混淆；《隋書・經籍志》將緯書附在經部內，因為緯書乃緣經書以立說，所以尚無不妥，可是將小學類也附入經部，就與中國傳統「經」的意義不合了。史部中的儀注、刑法、簿錄類，都與記言、記事的史書意義不同，子部中的天文、曆數、五行、醫方類，更是與諸子之學毫無干涉。而為什麼會產生這些現象呢？除了經、史、子、集沒有下明確定義外，最重要的原因，就是局限在「四分」這個觀念，導致了部類歸屬上的混亂。中國學術到了隋唐之際，早已不是四分就可涵括的了。硬是要泥於四分法，那麼只好找尋近似的部門去歸隸，勉強

❽ 班固《漢志・六藝略》以下所列九類是：易、書、詩、禮、樂、春秋、論語、孝經、小學。《隋書・經籍志》除此之外，再加緯書一類，另將解經之作如《五經大義》等併入論語類中，合為十類。

牽附，終於給中國的目錄學開出了惡例。昌彼得先生曾就此點評論《隋書·經籍志》說：

> 未為經史子集定下界說，致使其間名實不能相符……真所謂薰蕕同器，毫無倫類。自《隋書·經籍志》開此例，倒替後代編目的人開了一個方便之門，任意出甲入乙……我國的圖書分類，一千多年來不能趨於統一，探討其原因，固然很多，而《隋書·經籍志》四部改甲乙丙丁明稱經史子集，而未奠立嚴格的類例，實為主要的影響。❾

其實這不僅僅是《隋書·經籍志》沒有給經史子集下定義所造成的影響，另外還有一個原因，就是《隋書·經籍志》的編輯者不肯去開創新的圖書分類法，只是一味地沿襲南北朝時代規劃並不嚴謹的四分法，以至於在他面對大量而且種類繁多的圖書時，必然的產生部類錯亂的現象了。

《隋書·經籍志》以後，四分法成為史志書目和官修書目的傳統分類法，除了明代的《文淵閣書目》以藏書的櫥櫃為順序，而用千字文排列，將國家藏書分為天字號櫥國朝，地字號櫥易、書、詩、春秋、周禮、儀禮、禮記……等二十號、五十櫥、三十七類外，幾乎由唐代到清代的史志和官修書目清一色的都是四分法。❿

---

❾ 見其《中國目錄學》下篇第四章。

❿ 明代以後偶有官府衙門改變四分法，如明萬曆間曾守身等人所編的《行人司書目》，即將全目分成典、經、史、子、文、雜六部等。但這些書目都

僅管宋代以後，有不少私人藏書家例如宋代的鄭樵、明代的陸深、晁瑮等人，均曾努力的突破四分法，開創另一套非四分法的圖書分類法，可是顯然並沒有任何一個人成功，因為從來就沒有人去學習別人的分類方法，以至於非四分法的書目中，竟沒有兩部以上分類法是相互雷同。因此，四分法在這一千五百多年的時間裡，就成為主流，被官方的書目編輯者世代採用。

當我們檢視這一千五百多年以來的四分法，除了驚訝於它發展的速度出奇緩慢以外，另可看出兩個特點：第一，這些用四分法分類的書目，竟沒有一本先給經、史、子、集下個定義。依照《七略》以下書目的傳統，應有總序及小序的體例，小序用以說明每一類的意義及內容，總序別說明部門的意義及內容。可是《隋書・經籍志》以下，遵守這種體例的書目實在不多見，絕大部分的書目都省略了總序和小序，完全不向世人解釋他設置部類的原則和方法。少數一些書目則保留了總序或小序的體例，目前我們要找尋的是書目中對經、史、子、集的定義，所以我們只能從總序中去探索。《隋書・經籍志》以下有總序的書目，只有宋代晁公武《郡齋讀書志》、及清代《四庫全書總目》兩家而已。我們先來看看《郡齋讀書志》中經史子集的總序對此四字作何說明：在經部總序中，晁氏在說明六藝的發展後，涉及分類方法的只如下幾句：

《論語》、《孝經》自班固以來，皆附經類。夫《論語》，

不足以代表國家或整個朝代的分類取向，而且又沒有產生影響，所以可以略而不論。

群言之首；《孝經》，百行之宗，皆六經之要。其附於經，固不可易。又藝文志有小學類，四庫書目有經解類，蓋有補於經，而無所系屬，故皆附于經，今亦從之。

史部總序說：

舊以職官、儀注等，凡史氏有取者，皆附之史，今從焉。

子部總序說：

又以醫卜技藝，亦先王之所不廢，故附於九流之末。夫儒墨名法，先王之教；醫卜技藝，先王之政，其相附近也，固宜。昔劉歆既錄神仙之書，而王儉又錄釋氏，今亦循之……。

集部總序說：

軌轍不同，機杼亦異。各名一家之言，學者欲矜式焉。故別而聚之，命之為集。

在這四段文字中，雖不乏歸隸類別的說明，集部總序更將「集」字的來源加以解釋，但是仍然沒有說出經史子集這四個字在分部置類時的定義；也就是說，並沒有明白釐清此四部之下，各自應有的採錄範圍是什麼。舉例來說，晁氏認為「凡史氏有取者皆附之史」，固然職官、儀注之類是史家取材的重要依據，但天文、曆法等地該是「史氏有取」的，那麼是否天文、曆法就也該附入史部？晁氏又以為醫卜技藝是「先王之政」，宜「附九流之末」，那麼史部中的刑法類，就不算「先王之政」了嗎？所以《郡齋讀書志》總序中的說明，只是用現象去解釋本質，倒果為因，絲毫不能為經史子集的分部原則下一明確定義。

至於《四庫全書總目》，在經、史、子、集四部總序中，只有子部總序所論較為具體。子部總序以為：「自六經以外立說者，皆子書也。」並將《四庫全書》所收子部十四類，劃分成四種：儒家、兵家、法家、農家、醫家、天文算法六類，是「皆治世者所有事也」；術數、藝術兩類，是「皆小道之可觀者也」；譜錄、雜家、類書、小說四類，是「旁資參考者也」；最後列釋家、道家兩類，是為「外學」。《四庫全書總目》對子部所下的初步定義，是要「立說」，也就是要自成一家之言的。可是書內所收十四類中，至少醫家、天文算法、術數、藝術、譜錄、類書、小說諸類是無法「立說」的，它們或是一門技巧，或是排比資料的工作，這和儒、兵、法等可以「立說」，可以成為一個學派的現象是迥異而矛盾的。所以子部總序也可以說是未為子部立下一個採錄的定義。經、史、集部的定義就更邈不可求了。四部皆未有明確定義，這是四分法在發展中的第一個特點。

第二個特點是四分法下所分的類別，除了刻意承襲——如《舊唐書·經籍志》節錄毌煚的《古今書錄》——以外，其餘所有四分法的類目皆不相同。⓫我們可以簡單的以數量列成一表，來看歷代

⓫ 四分法剛成立時，部下並未再分類，只作到一級分類而已，如荀勗的《中

幾部重要書目類別多寡上的差異：

部名 / 數量 / 書名	經	史	子	集	備　　註
隋書・經籍志	10	13	14	3	佛、道兩家為附錄，不在四部之內。
舊唐書・經籍志	12	13	17	3	
新唐書・藝文志	11	13	17	3	
崇文總目	9	13	20	3	
郡齋讀書志	10	13	18	4	
直齋書錄解題	10	16	20	7	未標明經、史、子、集，但仍為四分法。
宋史・藝文志	10	13	17	4	
明史・藝文志	10	10	12	3	
四庫全書總目	10	15	14	5	

不僅史志書目、官修書目如此、私修書目更是差異甚大，從來就沒有人願意承襲前人而不作任何修訂。造成這個現象的原因，固然是因為我國歷代書目原本就有「因書以設類」的特性，⓬而四分法歷來從未下過明確定義，以致後代以四分法編纂書目的人任意自訂分隸標準，更是主要的原因之一。

經新簿》、李充的《晉元帝四部書目》等皆是。到了《隋書・經籍志》以後，四分法才開始發展二級、甚至三級分類。所以此處討論，是以《隋書・經籍志》為起點。

⓬ 有關「因書以設類」，請參考第二章的討論。

四分法既然並未給經、史、子、集四部定下明確的定義，所以編書目的人可以依自己的意見去改訂、創立類別，甚至移易部與部之間的類屬。換句話說，一千多年以來的四分法，除了經、史、子、集四個部門是固定以外，在此四部以下的類別根本就是沒有固定結構的，它依個人的理念而浮動。

於是接下來我們該探討的，是歷代學者對這種浮動結構的四分法，究竟是採取怎樣的標準來分類的？我們在上文中不時提到歷代書目的編纂者都是各用自己的觀點去分類，這些個人的觀點之間，是否有其共通性？有可以歸納的大原則呢？

三、四分法分類的標準

四分法分類的標準，可由兩個層次來談。第一，書籍應置入那一類。第二，類應置入那一部。

關於後者，問題比較簡單，既然已肯定要使用四分法，那麼部門為經、史、子、集即已確定。在這種情況下，選擇性並不大。我們若就歷代四分法隸部的情形來推測，他們的標準大致不出兩點：一是就援用前例來歸隸。例如《隋書・經籍志》開例將方技、數術、兵書併入諸子之中，合為子部，從此以後以至清末，凡四分法之書目，子部中必定毫無疑義的可以容納上述諸部書籍，這就是援例。另一個標準，是在無前例可援，如新立類別，或感覺前例不妥，企圖改隸部門時，則選擇與原有類別較不互相排斥的部門去歸隸。例如類書、叢書為前代所無，在隸部時，經部是不可能列入考慮的，剩下三部中，史部各類均為政治、經濟及歷史之史料；集部皆為文學創作或文學批評類的著作，相形之下，史、集兩部的界線比較明晰，但子部所涵蓋的範圍就比較複雜了。子部所錄，除諸子學和釋、道教合於「子」的觀念以外，其他各類如天文、曆算、五行、醫家、藝術等歷代書目子部中常見的類別，均是因為無法容納於經、史、集部而被隸入子部的。因此，這種範圍雜駁的部門，與類書、叢書的包羅各類資料的特質並不相互排斥，於是類書類及叢書類便併入了子部。⓭換一個角度來說，這項標準是一種相互淘汰的方式，當新的一個類別要隸部時，它與經、史、子、集四部相互查證，淘汰掉不可能相容的部門，剩下的部門就是新類別所屬的了。

在援例與相互淘汰這兩種標準下，我們可以想見：子部必是被任意隸置的部門，它因為這兩項標準的交互影響，以致範圍越來越大；而後代也因此越容易將不知該隸入那一部的類別放入子部，子部因之就更無法下定義、無法規定收錄的範圍。四部的定義不明，受害最大的就是子部了。

至於書籍應隸入那一類的問題，就比較複雜。誠如前文所述，四分法的部門沒有定義可尋，連帶的使我國歷代書目中的類別定義亦不是很清晰，雖說歷代備有小序的書目皆有論及各類所錄內容為何，⓮但是每部書目之間對每類的定義不盡相同，更重要的是，歷

⓭ 類書類首見於《舊唐書·經籍志》，稱「類事類」，至《新唐書·藝文志》內改今名，均隸屬子部。叢書類諸書或併入類書類中，如《文淵閣書目》即是。萬曆間祁承㸁《澹生堂藏書目》將叢書獨立成一類，亦併列子部中。

⓮ 類別前（或後）的序文稱小序，今存具備小序體例的書目有《漢書·藝文志》、《隋書·經籍志》、《崇文總目》、《郡齋讀書志》、陳振孫《直

代每部書目的編輯者對於那本書該放在那一類，都有自己的主張。歷代的目錄學家從來不要求自己或別人的書目的要盡量和前代的分類相符合，相反的，在書籍歸類時和前人不同，一方面傳達了個人的思想理念，另一方面更彰顯了這個時代對某些書籍，甚至是對某種學術的獨特看法。因此，書籍在隸類時就產生了五花八門的現象，同一本書可能在歷代書目中所屬的類別完全不同，這使得後人在探索古代書目中書籍分類的原理時，十分困難。

由於四部的定義不明，再加上大多數的書目並未為自己所立的類別定下嚴格的界限，於是在傳統書目的分類上，並非以「定義」為分類標準，而是各自另尋蹊徑，造成了幾乎可以說是用自由心證的方法去歸類，使後代使用書目的人，有時要揣摩編者的想法，才能找出某書被放在某類之中，因此就使用上來講，隸類的漫無標準也使書目運用起來十分不便。

正是因為書籍隸類的情況如此複雜，如今要我們為每部書目用凡例式的體裁去歸納他們的隸類標準，是根本不可能的事，而且絕大多數的書目編輯者並沒有撰文交待隸類標準的觀念，所以我們若將每部書目獨立來看，很難看出個所以然來。可是若我們打破時間限制，將歷代書目混合來看，因為時常有同一本書被隸入不同類的情形，就剛好給了我們一個探究的線索，我們或可由其中的轉變，去提煉歷代書目在隸類時曾經考慮過的準則。

歷代書目中最常見到的歸類準則，便是配合當代的學術思想大

齋書錄解題》、馬端臨《文獻通考·經籍考》、焦竑《國史經籍志》、《四庫全書總目》，凡八家。

勢。書目並不是獨立於學術之外的，自從劉歆《七略》以來，書目一直就和當代學術緊密配合，例如西漢末年時儒家思想已在政治和學術中居於主導地位，於是劉歆《七略》即將儒家經典合為〈六藝略〉，並將附合儒家學說的著作合為〈儒家類〉，置於〈諸子略〉之首，其餘先秦諸學派，只列為〈諸子略〉中的一類而已，而不能列入〈六藝略〉中，這就是書目利用其歸類隸部來彰顯學術的例證。甚至於某些時代的學術思想是配合教化政策而產生，書目中亦多配合表現，例如歷代官府都不提倡小說、戲劇等民俗文學，於是歷代書目中此類資料極為罕見等。⓯因此，書籍在歸類時，考量當代的學術思潮，配合當時的學術見解，就成了很重要的依據。例如以漢・揚雄《太玄經》來說：《漢書・藝文志》列入諸子略儒家類。《新、舊唐志》、《宋史・藝文志》、《郡齋讀書志》、陳振孫《直齋書錄解題》，均列入子部儒家類。《四庫全書總目》、《鄭堂讀書記》、張之洞《書目答問》等則列入子部術數類數學之屬。

在易經的研究中，宋代易學是直接承襲自漢代易學的，尤其是研究河圖洛書等所謂的「圖書之學」，更是出自揚雄的《太玄經》；而此一時期的易學研究，無論從那個角度入手，都和經學密不可分。也就是說，即使如《太玄經》這種以易演「數」的派別，也被宋代以前的人視為經學研究的一支。於是在宋代以前的書目

⓯ 我國首次將傳奇演義等民間文學作品列入書目的，是明代嘉靖間高儒所撰的私家書目《百川書志》，此後此類書籍才稍稍見載於書目中。不過也只限於私家書目，史志書目和官修書目仍是不收錄這種「不登大雅」的民間文學作品。

中，揚雄的《太玄經》就一直被列入儒家學說中。可是到了清代，這種觀念逐步被釐清，易學研究中義理的歸義理，數學的歸數學，所以《四庫全書總目》就把揚雄此書改隸入子部術數類數學之屬。同樣的道理，北周衛元嵩所撰《元包》，在《新唐書・藝文志》中入經部易類，但在《四庫全書總目》中亦改隸為子部術數類數學之屬，這都是因為宋代前後對易學研究的見解轉變所造成的結果。

有時候因學術見解的轉變，被移易改隸的不只是單獨幾本書，而是整批相關的書籍，《孟子》一書及其相關論著就是一例。從漢代以來，孟子的地位與孔子一直相去甚遠，所以只被列在先秦諸子中儒家類內，如《隋書・經籍志》、《新・舊唐志》、《崇文總目》、《郡齋讀書志》等，均將《孟子》書入於子部儒家類中。可是到了南宋以後，《孟子》的地位顯著提昇，尤其朱熹合《論語》、《孟子》、《中庸》、《大學》為《四書》以後，更確定了《孟子》的學術地位。所以南宋以來的書目，從尤袤的《遂初堂書目》開始，下迄清代，如《直齋書錄解題》、馬端臨《文獻通考・經籍考》、《宋史・藝文志》、《明史・藝文志》、《四庫全書總目》等。均將《孟子》書列入經部論語類或四書類中，馬端臨甚至將《孟子》獨立成經部中的一類。宋代前後，《孟子》一書的轉變竟有如此之遽。

《國語》一書又是一例。《隋書・經籍志》以下，舉凡《新、舊唐志》、《崇文總目》、《郡齋讀書志》、《直齋書錄解題》、《宋史・藝文志》及馬端臨《文獻通考・經籍考》等各公私書目，均將《國語》置經部春秋類中。原因無他，蓋自漢朝以來，《國語》一書一直被視為附屬於《春秋》的，所以《漢書・律曆志》稱之為《春秋外傳》，王充《論衡》亦說：「《國語》，《左氏》之外傳也。」，《國語》一書遂順理成章的被放在經部春秋類中。直到《四庫全書總目》，認為：

> 劉熙《釋名》，亦云《國語》，亦曰《外傳》，《春秋》以魯為內，以諸國為外，外國所傳之事也。考《國語》上包周穆王，下暨魯悼公，與《春秋》時代首尾皆不相應，其事亦多與《春秋》無關，係之《春秋》，殊為不類。至書中明有〈魯語〉，而劉熙以為外國所傳，尤為舛迕。附之於經，於義未允……今改隸之雜史類焉。⓰

總算才釐清了《國語》一書的本質。自此以後，清代的各家書目均將《國語》置入史部，連同與《國語》相關屬的書如《國語補音》等，亦都改隸入史部雜史類。這些都是配合當代學術思想去歸隸書籍的例證。

第二個最常被考量的歸類準則，是崇質和依體之間的差異。所謂崇質，就是以書籍的內容為主要分類標準；而依體則是以書籍的體裁為主要分類標準。舉例來說：《穆天子傳》一書是以干支紀年歲為序，敘述周穆王西遊的神怪故事。此書在《隋書・經籍志》、《新、舊唐志》、《直齋書錄解題》、鄭樵《通志・藝文略》、及馬端臨《文獻通考・經籍考》中，都被列入史部起居注類；但《四庫全書總目》卻因此書內容「恍惚無徵」，而改隸在子部小說家類

⓰ 見《四庫全書總目》史部雜史類《國語》條下之案語。

異聞之屬中。入於起居注類，是依體；入於小說家類，即是崇質。這兩者之間的差異，本是在做圖書分類工作上最容易碰到的問題，這個問題在明代祁承㸁發明「互著」法以後，[17]很容易解決，只要在相互對應的兩類中皆予著錄，並注明「互見」即可。但是在此法未發明以前，或不知使用此法的書目，對於編目的原則應採崇質或依體，就不該漫無標準，否則後人在利用該書目時，就會有諸多不便。然而歷代書目在處理這個問題時，方法並不一致。這要從兩個不同的角度來談：

第一，有些書目在設立類別時，即產生了崇質或依體的矛盾，例如《隋書·經籍志》以下的各公私書目，大都在史部均設有「編年類」；[18]《四庫全書總目》史部設有「紀事本末類」；《舊唐書·經籍志》以下各公、私書目子部設有「類書類」；明代祁承㸁在《澹生堂藏書目》中子部內設有「叢書類」等，這些類別的設立，若從類名上看，必是應當「依體」無疑。於是凡體裁特殊而已被獨立成一類的出籍，就必須依體去歸類，否則設類就沒有意義了。但依體而分，有時並不完全恰當，例如類書、叢書之中，有專收史事的，有專收文采的等，將之移入史部或集部，是否對按目尋書的人更為有利呢？其次，這些依體設立的類別與其他各類同時並

---

[17] 祁氏在《庚申整書略例》中，提出因、益、通、互四種整理書籍的辦法，其中的「互」，清代章學誠將之改為「互著」，意指某書若同時可適用於兩類以上時，則兩類兼載之，並注明互見於其他某類。此法解決了不少分類上的難題，但是中國書目中，除了祁氏以外，並沒有人加以利用。

[18] 《隋書·經籍志》稱之為「古史類」，至《新唐書·藝文志》時改稱「編年類」，沿用迄今。

存在一部書目中，於是一部書目中便等於同時在使用崇質和依體兩種不同的標準，而歷代書目中又從沒有那部書目曾對此一問題下過定義或作過說明，這不但使書目體例混亂、編目者易生錯誤，對使用書目的人來說也不便檢尋，更容易遺漏他所想得到的資料。同時用兩種不同的標準去設立類別，是很容易有這種缺失的。⓳

第二，對於同一種類的書籍，有的書目用崇質標準、有的書目則用依體標準去隸類。這個現象固然是因為編目者個人觀點的不同而產生，但是設立類別時並未同時定下明確定義，更是主要的因素。舉例來說：《舊唐書·經籍志》史部雜傳類《列仙傳讚》、《神仙傳》、《高士老君內傳》、《關令尹喜傳》等，《新唐書·藝文志》均移入子部道家類中。十分明顯的，《舊唐書·經籍志》依體隸類，但《新唐書·藝文志》卻崇質隸類，因而同一種書，就造成了兩種不同的分類結果。

崇質與依體，固然只有在某些特定體裁的書籍隸類時才會碰到，但是由於漢代以來並沒有任何一個目錄學家精確地談到這個問題，以致於每一部書目在碰到這個問題時，都必須重作考慮，並自訂原則。因此，只要是體裁比較特殊的書籍，在歷代書目中變異程度都非常大，這是我國目錄學上一個很值得重視的現象。

第三個常被考慮到的歸類準則，是某類書籍的數量。每一類書

⓳ 從《隋書·經籍志》開始，就有同時使用兩種標準的現象，例如子部五行類中收錄《周易占》、《周易守林》、《周易集林》、《周易錯卦》等，就是崇質；但將《竹譜》、《錢譜》、《錢圖》等隸入史部譜系類，就是依體，這種作法，使得原本只當收錄姓氏之書的譜系類變得義例不純。

籍都會因它所屬的學術興衰，而產生數量增加或減少的現象。例如易類書籍，在《漢書・藝文志》中只有十三家，到了《隋書・經籍志》經部易類，增為六十九部，降至清代《四庫全書總目》中，正式收入經部易類的有一百五十九部，存目的還有三百十七部，在數量上增多不少。可是楚辭一類卻沒有那麼高的成長率，《隋書・經籍志》集部楚辭類收錄十部，到了《四庫全書總目》集部楚辭類，正式收錄的只有六部，加上存目的十七部，總數只不過二十三部而已。對於數量增多的類別比較好處理，一般來講，當該類書籍數量大增，但沒有類別下需要再釐子目的顧慮時，就可以讓該類自然膨脹，如經部易類、詩類等。但當該類書籍大增，在類別下又有各種不盡相同的內容型態時，就必須考慮要分子目了。例如經部禮類，歷來雖然多依三禮順序排列，但是未分子目；到了《四庫全書總目》，因數量龐大，遂分成周禮、儀禮、禮記、三禮總義、通禮、雜禮書等六個子目，使書籍眉目清晰、檢尋方便。又如史部地理類，歷代書目大多未詳分子目，但《四庫全書總目》因所收數量甚多，遂分為宮殿疏、總志、都會郡縣、河渠、邊防、山水、古蹟、雜記、遊記、外記等十個子目。[20]因此可知，當某類書籍數量增加時，較是不足為慮的。

但是如果面對的是一個數量很少的類別，情況就完全不一樣

---

[20] 類下再分子目，也就是使分類型態達到第三級，是正式成立於宋代鄭樵的《通志・藝文略》。鄭氏所使用的不是四分法，但他將分類型態正式推向第三級的作法，卻為後代四分法所沿用。本文中為敘述方便，未詳加釐清，事實上在宋代以前是沒有三級分類的。

了。清代章學誠在《校讎通義》卷一即說：目錄學的功用，在於「辨章學術、考鏡源流」。若從這個觀點來編書目，那麼無論數量多寡，只要是能獨立成一學派，或是可以自成一類的論著，都該成立一個類目來轄屬它，這樣學術體系才可藉由目錄書籍來彰顯。例如《隋書·經籍志》子部法家類收錄六部、名家類四部、墨家類三部、縱橫家類二部。數量如此之少，尤其是縱橫家類，名為兩部，實際上只有《鬼谷子三卷》一書，只是一部是皇甫謐注，一部是樂一注的差別而已。即使如此，仍要獨立成一類，這樣才能使讀者知道它們各是一門獨立的學術。

然而並不是每一位書目的編輯者都是以「辨章學術、考鏡源流」為職志的。所以，在處理數量很少的類目時，該獨立，或是該將它們併入那一類中，就成了一個必須去考量的準則。我們從現存的書目看來，歷代各公、私書目的編輯者，大多將數量很少的某一類書擠併入其他相關類別中。舉例來說：《爾雅》一書從《隋書·經籍志》以下就從來沒有獨立成一類過，《隋書·經籍志》將它附入論語類；《新、舊唐志》以下的各公、私書目則將它隸入小學類，直至《四庫全書總目》，仍然在小學類中。事實上《爾雅》一書是以解釋經書和諸子書中的難字為主，和一般字典性質的字書是不盡相同的。所以《隋書·經籍志》經部雖有小學類，仍不將《爾雅》隸入，而是將之視為與「五經總義」之屬的書同義，併入論語類中。㉑我們若再上推到《漢書·藝文志》，情況也頗類似；《漢

㉑　《隋書·經籍志》將五經總義之屬的書如《五經異義》十卷、《五經大義》三卷等併入論語類中。

書·藝文志》雖有小學類，但亦不隸《爾雅》，而是將之隸入蒙童必讀的孝經類中。由此可見，《爾雅》一書自始即與小學類中所收的字書不同義。再加上唐代以後，《爾雅》升格為「經」，將它隸入不屬於經書的小學類諸書中更是不妥。㉒所以，無論從任何角度來看，《爾雅》均應獨立成一類才對。但是《爾雅》為何不能獨立成一類？原因無它，只因《爾雅》之屬的書數量太少，後代遂相沿成習的把它擠人其他類別中了。㉓

除此之外，像《中庸》、《大學》之屬的書籍，在宋代以後逐漸產生，但是卻也從未獨立成一類過，有的將它們附在經部禮類之中，例如《郡齋讀書志》、《直齋書錄解題》、《遂初堂書目》、《宋史·藝文志》及《千頃堂書目》等，亦有把它們併入《論語》、《孟子》之屬，合稱「四書」類的，如《四庫全書總目》、《明史·藝文志》等。又如金石類的書籍，一直也都是沒有獨立的

㉒ 小學類雖然屬經部，但是事實上小學的定義與經的定義是大相逕庭的。小學類的書籍眾多，無法不獨立成一類，但在獨立成一類後，該併入那一部中，卻是十分使人困擾的事，因為它和經、史、子、集，甚至和《漢書·藝文志》諸略中的方向都不盡相合。所以最後只好把它視之為讀經書的基礎訓練，擠併入經書之屬中。因此，小學類入經部，本身即已是擠併後的不當現象，若是再把經書中的《爾雅》再隸入小學類，那就更加不當了。

㉓ 《隋書·經籍志》子部中墨家、縱橫家等類數量很少卻仍獨立一類的現象，是不能和《爾雅》一類混為一談的。因為墨家、縱橫家等早已是獨立的一個學派，而《爾雅》諸書只是性質異於他書而已。是以在《隋書·經籍志》以前，因《爾雅》尚未成「經」，將之併入他類是可以成立的。但《舊唐書·經籍志》以下，《爾雅》已升格為經書，就不該與他類合併，更不該擠入小學類中。

地位，《隋書·經籍志》、《新、舊唐志》、《郡齋讀書志》等是將它附入小學類中；而《遂初堂書目》、《直齋書錄解題》、《宋史·藝文志》、《千頃堂書目》及《四庫全書總目》等，均是將金石類的書籍併入目錄類中。㉔這些書籍，其實在中國歷代知識分子心中，早已具備獨立的學術地位，它們都是可以被視為是一門獨立學術的，但是這些書籍數量都不多，僅管在學術上可以獨立，但在目錄分類上，仍是被合併入其他的類別中。宋代尤袤的《遂初堂書目》和清初黃虞稷的《千頃堂書目》對待諸子中名、墨、法、縱橫、雜幾家的態度，更是因數量關係而合併類別的典型代表。《遂初堂書目》的雜家類中，收錄的有原屬雜家類的書如《呂氏春秋》、《淮南子》；同時也收錄了法家類的書如《管子》、《商子》、《韓非子》等；又收錄了名家類的書如《鄧析子》、《公孫龍子》、《尹子》等；又收錄了墨家類的書如《墨子》等；又收錄了縱橫家的書如《鬼谷子》等。當然，歷代子部中原有的名家、墨家、法家、縱橫家等類，就被取銷了。到了清初的《千頃堂書目》，更在子部雜家類類名下加小註說：

> 前代藝文志列名、法諸家，後代沿之。然寥寥無幾，備數而已。今削之，總名之曰雜家。

這「寥寥無幾」四字，不但道出了「數量」為隸類標準的玄機，更

㉔ 《四庫全書總目》將金石之屬的書籍提升獨立成為一個子目，但是仍然附屬在目錄類之下，所以還是無法說金石類的書籍已取得獨立地位。

使得名家、墨家、法家、縱橫家在《千頃堂書目》及《明史·藝文志》中消失，甚至在《四庫全書總目》中，除了仍保留法家類外，名家、墨家、縱橫家的書籍，也都併入了雜家，而雜家類的意義，也因此而產生重大轉變。這些都是因數量問題而產生的特殊隸類現象。

第四個歸類的準則，是傳統中的類別已不適用，於是另立新義時，書籍的歸類會因之改變。所謂另立新義，又包含了三個不同的現象：一是原有類別的意義及範圍有所改變時；二是在傳統諸類別中視需要而進行刪併時；三是創立新的類別時，都可稱作另立新義，現在分別討論如下：

一、原有類別的意義及範圍有所改變，例如上文所述子部雜家類就是一例。所謂「雜家」，原是「出於議官，兼儒墨、合名法」的一個先秦學派，㉕有它自己特定的範圍。但是到了《隋書·經籍志》，雜家類內除了原先的《呂氏春秋》、《淮南子》等書之外，又加進了新興起但尚未獨立成類的類書，如《皇覽》、《類苑》等，甚至加入了討論佛教人或事的書籍，如《眾僧傳》、《高僧傳》、《歷代三寶記》、《因果記》等，雜家類的範圍遂為之擴大。到了宋代尤袤的《遂初堂書目》及清初的《千頃堂書目》、《明史·藝文志》時，雜家類不再收類書了，也不再收佛教方面的書，卻將名、法、墨、縱橫家的書籍併入，再加上一些雜編的書籍而成，這是雜家類第二次的範圍擴大及改變。到了《四庫全書總目》時，不但承襲了前代的作法，又更加擴大「雜」的意義，將雜

㉕ 見《漢書·藝文志》諸子略雜家類小序。

家類分成了六個子目：《遂初堂書目》中所合併的名、墨、縱橫、雜家類書，在《四庫全書總目》中成為雜學目，此外又擴增了辨證類的書，稱為雜考；「議論而兼敘述」的為雜說；「旁究物理、臚陳纖瑣」的叫雜品；「類輯舊文、塗兼眾軌」的為雜纂；「合刻諸書，不名一體」的為雜編。㉖這是雜家類第三次的範圍擴大及改變。經過這三次的改變，雜家類從一個原本只收錄先秦一個學派的小類，變成一個內容龐雜，連叢書（即雜編）都要包含在內的大類，它容納的書籍是子部中最多的，範圍也是最廣的。由此可知，編輯書目的人對某一類別的解釋及認定的範圍若與前代不同，是會引起歸類上的差異的。

二、對傳統的類別進行刪併，例如《明史・藝文志》史部的正史類就是一個典型的例子。《明史・藝文志》的前身是《千頃堂書目》，這兩部書目同樣都是斷代書目，但是《千頃堂書目》的史部仍是十分完備，設有專收明代實錄、起居注、寶訓、年表等的國史類；㉗有正史類、通史類、編年類等。《明史・藝文志》則將上述四類的書籍全部合併，統稱為正史類。如此一來，《明史・藝文志》中的正史類事實上就包含了實錄、聖訓，及編年類的書如《宋元資治通鑑》、《帝王曆祚考》等及通史類的書如《史類》、《學史會同》、《歷代史彙》等。而這些書籍，和我國傳統中的正史，

㉖ 見《四庫全書總目》子部雜家類小序。

㉗ 將本朝史料編成一類，是明代書目的一大特色，如《文淵閣書目》第一類即為國朝類、《澹生堂藏書目錄》史部之首為國朝史類、《寶文堂書目》卷首為御製書類等。

無論在內容上或體裁上全都是扞格不入的。所以凡是經過刪併的類別，也是會引起書籍歸類上的差異的。

三、創立新的類別，如《隋書·經籍志》將類書收入子部雜家類，但是《舊唐書·經籍志》成立類事類以後，類書便自雜家類中移出了。又如歷代書目對刀劍錄、錢譜、硯譜、香譜之類的書籍，向來漫無指歸，有的入於農家，有的散入藝術類等，隸類均十分凌亂。《遂初堂書目》在子部首創譜錄類收錄此類書籍，後來《四庫全書總目》亦承襲此作法，均使原本散漶的書籍得有歸屬。又如《宋史·藝文志》將合解四書的著作附於經解類內，到了《文淵閣書目》以後，則新創一個四書類以涵蓋之。這些都是新立類別，書籍的隸類準則亦隨之改變的例子。

上述三項現象，都可說是類別另立新義。我們或可這樣說：由於我國傳統書目中，都不習慣承襲前代的分類，所以另立新義的現象在每部書目中幾乎都可發現一、二，而同樣名稱的類別，都有可能會有不同的內容，這些都是會改變書籍的歸類的。因此，書籍隸類的準則，是要看該書目的編輯者如何為他的類別賦予意義和設定範圍而定的。

四、四分法浮動變異的特質

從上文的討論，我們可以看出：由於我國傳統中的四分法，無論是在部門或類別上，均很少訂下明確的定義，因此導致採用四分法的書目編輯者都紛紛自訂歸類標準，遂造成我國書目分類看似統一，實則紊亂的現象。

我們歸納出來的四項歸類標準，不一定就是歷代圖書在隸類時的全部準則。但是完整與否另在其次，重要的是這幾項歸類準則都指向同一個方向：中國圖書分類中的四分法，除了「四分」是固定的以外，其他如內部的結構——即每部之下隸屬多少類別，類別是否有改隸他部的現象等；及類別的定義、範圍；及類別的增、刪等問題，均是視編目者的意志而作浮動變易的。

對於這個現象，我們無法用一個單一標準來判定它的好壞。例如說：我們若要藉書目來檢查資料時，因為歷代書目對書籍歸類的準則各不相同，因此尋檢就十分不易。而且，各部的類別之間。有時含義有重疊現象，不但編輯者在歸類時容易造成重出，使用書目的人更會因與編目者的觀念不能全然配合，而造成對書籍觀念的混淆，比如子部雜家類和小說類就容易混淆；㉘史部的別史、雜史類更是使初學者困擾不已。凡此種種，都是四分法分類上的缺點，但是反過來說，由於四分法在我國流傳甚久，而且分成經、史、子、集四部是一直固定不變的，㉙因此我們就恰好可以四分為定位，去觀察這一千多年以來的類別變化，並從而去推尋學術的起落。鄭樵在《通志·校讎略》中即說：

> 類例既分，學術自明，以其先後本末具在。觀圖譜者可以知圖譜之所始，觀名數者可以知名數之相承。讖緯之學盛於東

㉘ 《四庫全書總目》子部小說家類雜事之屬的案語即說：「案記錄雜事之書，小說與雜史最易相淆，諸家著錄，亦往往牽混……。」是以小說類和雜史類的界限也是不易釐清的。

㉙ 其他的分類就不一定是固定的了。例如《漢書·藝文志》、《七志》、《七錄》皆為七分法，但內容就不相同。

> 都，音韻之書傳於江左；傳注起於漢魏，義疏成於隋唐。觀其書，可以知其學之源流。

甚至於我們藉著某些書籍被置於那一類，被隸於那一部，更可以探討出該時代的學術觀點。這些都是我國書目的分類隨時易動而產生的優點。

所以，在我們研究中國目錄學中的四分法時，我們應該掌握的是它這種浮動變易的特質，這樣才能更進一步地掌握這一千五百年來四分法的全貌。

除此之外，我們也該承認：四分法事實上早已經不適用了。前文曾一再強調，由於歷代書目對部、類都未予明確定義，遂導致書籍隸類時各尋蹊徑、自訂標準，使得許多書籍在各代書目中所屬類別有異，甚至類別該屬那一部都不相同。我們若從另一個角度來看這現象，固然因為是部門的定義不清，使得類別有個可以更動的方便之門，但是這又何嘗不是部門不敷使用所造成的結果。

我們時常在檢討經部中該不該收小學類，子部中該不該收類書類，史部中該不該收目錄類等等這樣的問題，我們更常批評子部變成了大雜彙，但是，若一定要拘泥於「四分」，這個現象怎麼可能避免呢？學術不斷在進步，在變化，明清以來學術的範圍，早就不是兩晉時代剛開始創立四分法的時候可以預測得到的。我們現在若硬是要守著「傳統」，硬是要用第四世紀的分類法去統屬這一千多年來的所有學術，怎麼可能不混淆錯亂呢？

因此，認清四分法的特質，並且以此為基礎，重新再創立一套統屬我國古籍的分類法，應是目前當努力的方向。

第四章　縱向轄屬與橫向聯繫

一、傳統書目的有機性組織

編目原理和分類方法是兩個不同領域的概念，後者是將書籍依不同的學術標準或體例標準，分為若干類，以彰顯各種書籍的差異性；而前者則是在探討如何將這些類別有機的組織起來。

這裡特別用了「有機」兩個字，是有其意義的。西方的圖書編目法是以達到圖書分類，並便於供圖書館的尋檢利用為主要目的。但是中國的目錄學早在漢代草創之初，就是以學術分類為主要思考點。申言之，中國的圖書分類法雖然也以藏書處的書籍排列尋檢為其作用，但那只是作用之一；最主要的作用還是在於將所有的書籍以學術類別的形式表現。因此，自漢代以降，我們若將一部書目中所有的類別組合起來看，它其實就是當代全部的學術門類。❶舉例來說，《漢書・藝文志》將所有的漢代圖書分為六略三十八類，它

❶ 此處的敘述，當然會牽涉到編目的目錄學家的學養問題。如果目錄學家的學養不夠，不能準確的分析當代或前代的學術概況，甚至沒辦法敏銳的察覺到某種學術的興起或衰敗，就無法從書目中反應出當時的學術門類。在此，我們不去討論這個問題的細節，只以整體概念來闡釋編目原理的問題。

的意義即是表示在漢代的目錄學家心目中，當代的學術一共有三十八個門類。而後代的學術當然會變，所以在理論上來說，後代的目錄書籍應該呈現出不同數量及內容的部和類，以符合各時代的學術演化。例如說梁朝阮孝緒所編的《七錄》，全書共分為經典、記傳、子兵、文集、術技、佛法、仙道七個錄，以下再細分為五十五個部，這是阮孝緒在當時為梁朝的學術所架構出的門類系統。到了唐代魏徵編《隋書·經籍志》時，全書分為經、史、子、集四個部，以下再細分為四十個類；再加上附錄的道經部四個類、佛經部十一個類，一共是六部五十五類，這是魏徵為六朝的學術所架構出的門類系統。他們各有各的學術觀點，同時也呈現出了因時代變異而產生的學術門類的變異，這就是目錄學的重大功能之一。這些部、類既然都有分別統屬某種學術門類的書籍、集體呈現當代學術全貌的作用，所以我們特別稱它為「有機」的組織。

二、轄屬結構

在此，先要把編目時所要用到的結構法稍加論述。所謂結構，意指在做圖書分類時將分類法定為上下幾個層級的規則。

在中國目錄學中，並沒有一個專有名詞來指稱分類法中上下共有幾級的現象。西文編目法中，則將分類法中的層級組織稱之為「樹狀結構」（Tree Structure），其原理則為上下之間的「轄屬性」（Hierarchical）。以美國的杜威（Melvil Dewey）在一八七三年所創的「十進位分類法」為例，杜威是將所有圖書以 0 到 9 為序，以百位數為基準，分為十個部門，例如 000 為總類、100 為哲學、200 為宗教、300 為社會學等等；在此基準下，百位數不變，而十位數、個位數，以及小數點第一位、第二位、第三位等，每一個數位都可以有十個不同的變化，例如 010 是總目錄、020 是圖書館科等等，如此產生的變化可謂無窮。這種可以無窮開展的層級組織法，就叫做「樹狀結構」。而由於百位數不變，所以十位數以下不論如何變化，就圖書的類別上來說，它們都必定隸屬於百位數所代表的範疇，例如 010 總目錄、020 圖書館科，都隸屬於 000 總類，這就叫做「轄屬性」。綜合這樣的觀念，我們可以把這種編目結構稱為「轄屬結構」（Hierarchical Structure）。中國的圖書編目法在基本原理上與此相同，所以我們應該可以借用這個名詞，將部、類的上下關係稱為「轄屬結構」。❷如果是部、類兩級，就是二級轄屬結構，如果是部、類、目三級，就稱為三級轄屬結構。

三、轄屬結構的縱向特性

中國的傳統分類法——無論是七分法或四分法，都是以書籍為主要的思考焦點。它企圖藉著書籍的分類，達到建立學術系統的目的。如前文所述，《漢書·藝文志》將當代圖書分為六略三十八類，從學術系統的角度來說，可以詮釋為：漢代的學者認為當時的學術性著作，若以書籍的內容來歸類，可分為三十八個「類」；而這三十八個「類」的著作，又分別統屬在六個「略」之下。於是略和類就形成了「轄屬結構」的關係。《漢書·藝文志》的「六略」：六藝、諸子、詩賦、兵書、數術、方技，事實上就是漢代學

❷ 有關「轄屬結構」的討論，可以參見周彥文撰〈中國圖書分類新論〉一文，中國書目季刊第二十二卷第一期，一九八八年六月，臺北市。

者心目中認定的當代學術的六大門類。這六大門類，是由三十八個「類」歸納而來的，而三十八個「類」，又是從所有的圖書歸納而來的。這種書隸屬於類、類隸屬於略，而且書、類、略在學術上有其相同的屬性，以層層轄屬的結構所形成的關係，在此就稱之為「縱向轄屬」。

這個結構方法，只要是二級以上的分類法，都會被運用到。也就是說，從漢代以來的七分法，一直到六朝以後大行其道的四分法，都是用這個原理去編目的。舉例來說，《漢書·藝文志·形法類》中有下列各書籍：

山海經十三篇
國朝七卷
宮宅地形二十卷
相人二十四卷
相寶劍刀二十卷
相六畜三十八卷

據該類小序，這些書籍都是屬於「以立城郭室舍形人及六畜骨法之度數，器物之形容，以求其聲氣貴賤吉凶」這個思考領域之內的。別的領域的書籍，不可以進入這個類別中；同樣的，這個領域的書籍也不可以被編入別的類別中。❸這些獨立領域的書籍組成了形法

---

❸ 這就是西方編目法中所謂的「排斥律」。宋代的鄭樵也體悟了這個現象，只是沒有歸納出理論而已。他在《通志·校讎略》的「編次之訛論」中即

類，而形法類又直接隸屬於數術略的思考領域，是在數術的思考領域中存在，這就叫做「縱向轄屬」。

這種縱向的編目方式，由於是分析了每一部書的性質，然後歸納以隸類，據此再進一步的將性質相同的類別歸納成略，所以，此法應可謂忠實的呈現了當代學術的全貌。❹但是同時它也在組織上造成了一種無法橫向變異的限制。也就是說，每一個「略」中的「類」，只能在它原來所屬的「略」中存在，而不能出現在別的「略」中。例如說，六藝略中的易類、書類、詩類、禮類等，因為是因為已被認定的「六藝」這個概念範疇之中的門類，所以一定要放在「六藝略」中，絕對不可以隸屬於其它的「略」。同理，諸子略中的儒家類、道家類、陰陽家類、法家類等，也只能存在於諸子略中，而不能出現在其它的「略」裡。其它各個系統也都是一樣，各類只能縱的在「略」下相屬，而不能有橫向的相互調動，否則所有的學術系統都將因之而錯亂。這就是「縱向轄屬」的特性。

四、部類之間的橫向聯繫

值得注意的是，這些「略」雖然不能橫向異動，但是在橫向之間，卻有緊密的關聯性。因為這些「略」就是當時全部的學術系統的項目，所以可以說是這些「略」互相成為一個有機體，它們就是

說：「一類之書，當集在一處，不可有所間也。」並用此一標準批判了歷代書目中的訛誤。

❹ 中國的歷代書目，事實上很少有全國出版品目錄，都只是個人或宮廷或官府的藏書目錄而已。所以此處的指涉其實是有其限制的。

當代學術系統的全部呈現。舉例來說，《漢書・藝文志》的數術略中，除了上文所舉的形法類外，它還有天文、曆譜、五行、蓍龜、雜占等，一共是六類。這六類的書，雖然不可以相互橫向異動，但是這六個類卻共同組成了「數術」的學術領域。同樣的道理，易、書、詩、禮、樂、春秋、論語、孝經、小學九個類組成了六藝略；儒、道、陰陽、法、名、墨、縱橫、雜、農、小說十個類組成了諸子略；賦甲、賦乙、賦丙、雜賦、歌詩五個類組成了詩賦略；權謀、形勢、陰陽、技巧四個類組成了兵書略；醫經、經方、房中、神仙四個類組成了方技略。這些不可相互橫向異動的三十八個類，組成了六個略；而這六個不可相互異動的六個略，又共同組成了漢代學術的全貌。所以這三十八個類、六個略雖說各有縱向屬性，但是在橫向之間卻又形成有機的相互關聯性，這就叫做「橫向聯繫」。

五、編目原理所構成的學術現象

這種「縱向轄屬、橫向聯繫」的編目方法，由於和當代學術結合，因此，轄屬結構中的第一級部分，亦即「略」（後代稱之為「部」），相對於「類」而言，它的隨機調整性非常小。一個學術有機體的架構完成，同時也就是一個編目法的完成，除非在學術主張上有重大變革，否則只會在下一層的「類」中進行更動，而不會在上一層的「略」（或「部」）中更動。舉例來說，劉氏父子的六略一直沿用到東漢時班固編《漢書・藝文志》；六朝時因學術型態大變，所以有王儉的《七志》、阮孝緒的《七錄》出現；也在此時產生的四分法，直到《隋書・經籍志》問世，確定了以經、史、子、集為四部的內容後，就一直沿用到清代末年而不墮。

中國傳統目錄學所使用的這套方法，優點是呈現了學術系統。缺點則是為了要呈現學術系統，類別大致固定，除非是有很明確的學術現象，否則很少會創立新的類別，這和現代的「標題目錄」的隨機調整性是大不相同的。因此，如果在學術發展的過程中，有新的學科在萌芽，只要它在數量上或質量上尚不能成為一個門類，那麼這些新萌芽的書籍，就只能在原有的部類範圍中去找一個相近的門類，不論扞格與否的安置在內。例如說，《隋書·經籍志》的史部譜系類，原是以收錄「氏姓之書」為主，但是在該類之末，卻有：

竹譜一卷

錢譜一卷

錢圖一卷

很明顯的，這三部書就是無法成類，因此附在這類之末的；直到南宋末年尤袤編《遂初堂書目》，在子部中設立了「譜錄類」，這些書籍才獨立成類。

自唐代以降，四分法大行於世之後，這個缺點就更加擴大到了「部」的層級。由於第一級是固定為經、史、子、集的，因此，有許多自前代就已存在的門類，為了牽就「四分」的限制，遂不得不在經、史、子、集四者之中勉強找一個可能安身的部置入。四分法中的每一部，尤其是子部，都有不適合的門類出現，就是這個原因。舉例來說，在七分法中都是獨立的數術書籍，在四分法中卻沒有安身立命的地方，於是從《隋書·經籍志》開始，用四分法的書目都援引晉朝荀勗所編的《中經新簿》為先例，將數術書和諸子書放在一起。而《中經新簿》這部書目，其實是絲毫沒有編目觀念的。為了牽就四分法，於是子部變成了一個無法下定義、界限不明的部門。又例如後代興起的類書類、叢書類等，在無部可隸的情形下，都只好置入子部。凡此種種，都是使用這套「縱向轄屬、橫向聯繫」的編目原理所造成的。我們若從這個角度來看，中國傳統目錄學中，應以四分法最無法表現學術門類之間的「橫向聯繫」；尤其是越到後代，學術門類越多，子部就越混亂，學術系統因而不明。無怪乎自明代以後，會有那麼多的改革性書目出現。

這種「縱向轄屬、橫向聯繫」的編目準則，同時在學術上有宣告學科屬性的意義。例如說，「詩類」是放在經部，它的意義是說《詩經》類的書籍要用經學的角度去研究，而不能以集部——即純文學——的角度去研究它。早在漢代劉向編《七錄》時，就已經定下了這個義例，所以漢代的樂府民歌雖然也是民間的詩歌，可是不能把它們和本質意義也同樣是民間詩歌的《詩經》一併放置在「六藝略」的「詩類」之中，而只能降為「詩賦略」中的「歌詩類」。類似的情形隨處可見，例如在「六藝略」中已有「易類」，可是在「數術略」的「蓍龜類」中。也可以見到許多《周易》方面的書，究其原委，也就是前者為轄屬儒家思想範疇的「經書」，而後者只是以《周易》為工具，行卜筮之事的一般性書籍而已；這樣的書，雖以《周易》為名，可是絕對不可以轄屬在「六藝」的觀念之下的。

歷代的書目中，這種編目原理已成為目錄學家的主要思考方式。而中國目錄學和學術有緊密關係，也是和運用這種原理去編目是息息相關的。

第五章　部類的質變現象

一、質變的界說

所謂部類的質變，意指同一名稱的部或類，因時代的演變或編目者的認定差異，以致使該部或類的內在意義有所轉變的現象。

此一論述，是架構在中國歷代書目的分類多是一脈相承的特質上。雖說中國的目錄學以六朝為界，有七分和四分兩大系統，但是它們的類別，大多輾轉相承，而且名稱也大致相同。因此就產生了不同時代的書目中，會有相同的類名，但內在意義卻不盡相同的情形。此一現象在做目錄學的分類研究時極易被忽視。尤其是在將歷代書目做成分類傳承表時，更會因為某個固定的類名由上至下貫穿歷代，而使人產生並無異動的錯覺。❶

然而，各種質變現象的出現，卻影響到類別的建立。就純粹編目上的理論來說，一個不同概念的書籍群出現，就應有一個新的類別出現以為對應。但是在現實中，卻少有如此精確的對應現象。這

---

❶ 目前最具代表性的分類傳承表，是姚名達先生所撰《中國目錄學史·分類篇》內所附的表格。臺灣商務印書館，一九七七年臺七版。該表有少許地方植字有誤，使用時需稍加留意。

其中當然有許多原因，而「質變」方式的運用，竟是重要因素之一。也就是說，當有一類新的學科出現時，若是在大方向上和原有的某一類別相通，儘管本質不盡相同，這個新的類別也可融入原有的類別中、或是沿用原名但取代原有類別的內容。已被融入新血或是已被取代內容的原有類別，在本質上當然產生了變化，使同一個名稱的類別在不同的時代可能有不同的意義。而更重要的是，這樣的質變若不明察，便會使我們忽略新的學術類型的存在，進而影響到我們對學術系統的考辨。

二、質變現象舉例

以農家類為例，從《七略》開始，在諸子略中就有農家類。可是當時的農家類是先秦諸子的一個學派，《漢書·藝文志》中農家類的小序即說：

> 農家者流，蓋出於農稷之官。播百穀、勸耕桑，以足衣食。故八政，一曰食，二曰貨。孔子曰：「所重民食」，此其所長也。及鄙者為之，以為無所事聖王，欲使君臣並耕，誖上下之序。

而農家類也因之置於〈諸子類〉中。所收錄的書籍是：

神農二十篇
野老十七篇
宰氏十七篇

董安國十六篇

尹都尉十四篇

趙氏五篇

氾勝之十八篇

王氏六篇

蔡癸一篇

這裡收錄的九家，一無例外的全是以人名為書名的著作，可見這些書籍的理論都應是與農家類小序相符合的。可是到了後代，農家的主張並不盛行，此派學說的各種書籍大量消失，反而是記載農業上的各種技術和談農業經濟的書籍逐漸發展起來。於是後代書目中的子部農家類早已脫離了諸子學形而上的影像，成為形而下的技術性類別了。以《舊唐書·經籍志》為例，該志子部農家類中所收錄的書籍，是取義於廣義的農業，將養殖業也包含在內，如：

齊民要術十卷

種植法七十七卷

蠶經一卷

相馬經一卷

相牛經一卷

養魚經一卷

這些書籍的發展方向，已很明顯的和前代書目中的「農家類」大相逕庭。到了元代編《宋史·藝文志》時，子部的農家類仍是照著這個方向收錄，而且還加以擴大，把後代應該置入「譜錄類」或「時令類」的書籍大量置入了農家類，使這些書籍幾乎成了農家類的主體。❷例如該類的內容有：

夏小正戴氏傳四卷
月令章句一卷
歲華紀麗四卷
荊楚歲時記一卷
茶經三卷
養蠶經一卷
菊譜一卷
竹譜三卷
錢譜三卷
勸農奏議三十篇
本政書十卷
水利編三卷
農器譜三卷
農書三卷
經界弓量法一卷

---

❷ 其實在《舊唐書·經籍志》中，就已收錄了這些性質的書籍，不過數量很少。《宋史·藝文志》只是依例收錄，數量加大而已。這其中牽涉到「因循依附」的問題，參見第六章的論述。

到了明代以後，由於經世致用的觀念漸盛，所以除了上述內容外，農家經濟方面的書籍增加較多，例如《明史·藝文志》子部農家類中有：

救荒本草四卷
閱古農書六卷
齊民要書一卷
農政全書六十卷

後代大致沿此方向，少有變革。只是有些書目「譜錄類」和「時令類」各自獨立，所以農家類中只收農業技術和農業經濟方面的書籍，如《四庫全書總目》即是。

這種變化，已將農家類帶離了漢代以前「諸子學」的觀念，它再也不是一個學派、一種主張，這就是「質變」。經過質變的農家類，雖然名稱上還是叫做農家類，事實上這個名稱卻已不再適合，或許改為「農業類」或「農政類」都會更恰當些。而且，它是不是還應該放在子部，都該重做考慮；至少，在唐代以後，農家類也應和數術各類相次，而不可以再和諸子類相次。

雜家類又是一個例子。在《漢書藝文志·諸子略》的雜家類小序中，說雜家類是「出於議官，兼儒墨、合名法」的一個先秦學派。它所收錄的書籍，都是先秦到西漢雜家學者所編寫的著作，例如：

尉繚子二十九篇

尸子二十篇

呂氏春秋二十六篇

淮南內二十一篇

淮南外三十三篇

東方朔二十篇

可是到了《隋書・經籍志》的雜家類，就立刻產生了質變。除了上述書籍外，它還收錄了屬於雜說、雜考等類的書，例如：

風俗通義三十一卷

博物志十卷

古今注三卷

該類小序也進而將其收錄範圍定義為「雜錯漫羨而無所指歸」的書籍。此例一開，後世的書目在處理雜家類時，範圍真的就「雜錯漫羨而無所指歸」。例如南宋陳振孫編《直齋書錄解題》，其雜家類就完全沿襲了《隋書・經籍志》的收錄方向；❸而稍早的《遂初堂書目》，其子部雜家類另又併入了原屬於諸子學、在子部中原本各自獨立的法家、名家、墨家、縱橫家，使得雜家類二度的產生質變，而且內容也更為複雜。清初《千頃堂書目》和《明史・藝文志》的子部雜家類，就都是承襲《遂初堂書目》的編目方法而來。

---

❸ 姚名達先生所編的分類傳承表，將此類分成三個子目：雜考、雜說、雜鈔。該類的內容的確如此，但是在原書目中卻並沒有做這樣的子目標題。

直到清代編《四庫全書總目》時，才重新整飭，仍在子部中設法家類，把雜家類分成六個子目：雜學、雜考、雜說、雜品、雜纂、雜編。其中雜學目，即是先秦時代的名家類、墨家類、縱横家類、雜家類的總和。也就是說，歷代的雜家類在《四庫全書總目》中，從一個類，被降格為一個子目。至此，雜家類的質變過程才算是真正完成，而清代的雜家類，也和漢代的雜家類面目迥異了。

除了上述的農家類、雜家類之外，歷代書目中還有一些類別產生過質變的現象，例如：史部的別史類，《直齋書錄解題》中是將私人以紀傳體撰述的史書入此類，而將非紀傳體的史書立為雜史類；但是《宋史·藝文志》中的別史類卻是將紀傳體和非紀傳體的史書皆一併置入。馬端臨的《文獻通考·經籍考》所錄和《宋史·藝文志》一樣，可是卻稱為雜史類。自此之後，書目中凡是有別史類或雜史類的，定義皆各不相同，有的模倣《直齋書錄解題》，有的則模倣《宋史·藝文志》或是《文獻通考》，造成了別史類和雜史類的質變。又例如子部道家類原為先秦時代的學派，可是後代書目如《宋史·藝文志》、《明史·藝文志》、《四庫全書總目》等，多將屬於宗教的道教書籍也併入該類中，因而造成了道家類的質變。

嚴格說來，四分法中的子部也算是有質變的現象。「子部」之名首見於《隋書·經籍志》，該志子部收納了七分法中的諸子、兵書、術數、方技等略的書籍。所以子部在設立之初，即包括了哲學、軍事、科技、醫學等方面的書。到了《古今書錄》和《舊唐書·經籍志》中，子部卻產生了變化，不但將屬於宗教方面的佛經、道經諸書併入子部的道家類中，又另外設立了雜藝術類。也就是說，子部的內容除了哲學、軍事、科技、醫學之外，又多加了宗教和藝術諸書。因此，不僅是「類」，連「部」的層級都會有質變現象。

三、質變和類別的關係

一門淵遠流長的學術，如果在流傳的過程中產生變化，例如或是分化出支派、或是有類似的新學門產生，很容易就會使該類發生質變現象。但是，並非所有的門類都是以質變的模式在面對學術上或觀念上的變化。也就是說，質變並非門類變化的唯一運作法則。新設一個類別，或是將原有的類別重新命名之後，再賦予新的定義，都是可行的作法。前者例如譜錄類、文史類的設立；後者如《四庫全書總目》中將前代書目中的儀注、刑法二類統合為政書類，將前代書目中的五行、蓍龜、卜筮等類統合為數術類等。

可是有時書目會受到自己分類的限制，反而產生了不得不以質變解決問題的情形。例如：先秦時代形成的法家，在漢代劉氏父子編書目時，即已在「諸子類」中佔有一席獨立的地位。嗣後法家思想雖然繼續有人研究，但是法家類的書籍卻並沒有再繼續大量問世，所以有的書目仍然保留法家類，如《宋史・藝文志》等；也有的書目就把法家類併入了雜家類中，如《遂初堂書目》、《千頃堂書目》、《明史・藝文志》等。❹大致說來，在明代以前，只要是

❹ 法家類被併入雜家類中後，由於「法家類」的名稱已經不存在，而且法家本身的內在本質也沒有產生變化，所以「質變」的是雜家類，而不是法家類。

保留「法家類」名稱的，都維持著原始法家類的本質；而在漢代以後才在書目中出現，並與法家息息相關的新門類，如法律方面的書，卻在史部中另立一個刑法類來收錄，並沒有植入法家類中，也並沒有使法家類產生質變。

到了清代的《四庫全書總目》中，情況就改變了。該目不立刑法類，歷代書目中的刑法類被降為一個子目，稱為「法令」，置於史部政書類下。這個做法對法律方面的有書籍沒有問題，因為法律屬於「政令」，隸入該目之下可謂名正言順；但是它產生了另一個問題：宋代以來所產生的討論判決案例方面的書籍，應當如何處理？

前代書目的做法很簡單，將之隸入刑法類即可。但是《四庫全書總目》沒有刑法類，而「法令」目是隸屬於「政書類」之下，在學術的隸屬觀念上，應要有「政令」的意義。❺判案的討論，並不屬於「政令」，於是這方面的書籍如《疑獄集》、《棠陰比事》、《折獄龜鑑》等，《四庫全書總目》便只好將之置入子部法家類中，勉強算是崇質的附入，並因而造成了原本定義明晰的子部法家類產生質變現象。而這些書，在《宋史·藝文志》、《直齋書錄解題》等書目中，都是毫無疑義的置入刑法類中的。因此，《四庫全書總目》中子部法家類的質變現象，是該目被自身的分類方式所限而造成的。這在所有質變的類別中，算是一個十分特殊的例子。

雖然《四庫全書總目》的子部法家類是一個較少見到的例子，

---

❺ 每類的書籍，其學術性質應要與該類的定義有縱向的統屬性。參見第四章有關「縱向轄屬」的討論。

但是我們綜合上述各個質變的例證，可以得到下面三個結論：

一、當新的學術門類產生，並有相對應的書籍行世時，書目即應做適度的對應調整，或另立類別，或改易類名及其定義，以便收錄新興門類的書籍。如果不做適度的對應調整，便只能將新門類的書籍擠入原有的相似類別中，如此不但會使原有類別產生質變的現象，最重要的是這種作法會使得新興的學術門類無法彰顯，而被泯沒在質變的類別中。

二、書目中的類別如果規劃不當，即有某些類別會因和其它類別相互牽制而產生質變現象。因此質變的發生，有時並不一定是因為有新興學術產生，有時只是因為書目的類別規劃不當所致，這是我們在以質變來觀察學術變化時不可不注意的地方。

三、質變的現象，使我們不能只從類名的延續與否來判斷學術門類的傳承。除非我們十分確定該類沒有質變現象，否則該類類名的延續，並不能代表其學術門類的延續。

據此可知，當學術發生變化時，質變雖然並不是唯一的對應運作方式，但是一旦運用到質變，便會影響到類別的定義，並進而影響到學術系統。

我們若從這個現象來檢討分類問題，應該可以很清楚的看出，事實上中國目錄學並沒有從類別的本質上，給每一個類下清晰的定義，因而才讓質變現象得到產生的空間。❻由此再衍生的問題便是：由於有質變現象，所以當一門新的學術概念產生後，並不一定會有一個實質的類別被建立，以與新的學術概念相對應，學術系統

---

❻ 質變所以可以發生，是以「依附」為其運作原理，可參見下一章的討論。

也或許會因此而錯亂。因此，當我們在探討分類問題時，不可只從類名入手，而是應該深入每一類的內在，以釐清其本質上的變化。

第六章　依附與因循依附

一、問題的提出

傳統目錄學中有一個極為特殊而值得去探討的問題，就是如何處理數量很少，但是其定義卻明顯的自成一類的書籍。

其實，以純粹的理論而言，只要是可以成為一個類別的書籍，無論數量多寡，都應該要獨立成類，不可以和其它的類別相互混雜。也就是說，每一個類別中，只能容納一種性質的書籍，而不能和其它性質的書籍相容，這就是分類原理中所謂的「排斥律」。但是在實際的運作上，若真要將每一種性質的書籍都設為一類，則勢必會在分類上造成龐蕪雜亂的後果，像宋代鄭樵的《通志·藝文略》就是一個很好的例子。❶所以，如何有效而簡潔的處理數量較少的「少量類別」，❷就成為以二級分類法或三級分類法為規格的

---

❶ 鄭氏將所有的圖書分成十二大類、一百五十五小類、以下再分成二百八十四個子目，其結局必是錯誤百出，重出與歸類不當者比比皆是。明代焦竑即撰有《糾繆》，清代《四庫全書總目》以及章學誠《校讎通義》中亦均有論述。

❷ 為了敘述方便，本文自創名詞，將書籍數量很少的類別暫時稱為「少量類別」，並皆加上引號以表明之。

傳統目錄學中的既定議題。

由於書籍的數量和類型必定會隨時代的演進而增加，所以重新編定書目，並且確定編目的原則和方法，必是每個時代都要處理的事。因此，歷代的目錄學家在編定書目時所遭遇的問題，有其共通性，也有其在邏輯上的必然性。即每一個時期的目錄學家都會碰上「少量類別」的問題需要處理，而且不可能將只有幾部、甚至只有一兩部書的某一類別都獨立成一類。是故探究各代的目錄學家安排「少量類別」的方法，並歸納其通則，便等於從側面去了解當代學術系統的基本架構。❸

就目錄的基本組成方式來說，類別的建構本就有「崇質」和「依體」的不同。所謂崇質，就是以著作的內容性質來歸類。例如經部詩類，所收錄的範圍全是與《詩經》有關的書籍，這是因為《詩經》在中國是屬於經學，所以依其性質將之歸於經部，並不因為《詩經》的體裁是詩歌而將之歸於集部總集類。而依體，就是純粹以體裁為分類標準。例如史部編年類，凡編年體的史書皆入此類等。

歷代書目的隸類方式，一向是崇質和依體這兩種標準互相混用的。也就是說，在同一部書目中，有的類別用崇質，如上述的經部詩類；也有的類別用依體，如上述的編年類等。❹同樣的，目錄學

---

❸ 由於中國目錄學的性質特殊，並非專以圖書分類為目的，而是以學術分類為主要導向，所以類別的建立可以代表學術系統的結構，而兩種以上的類別合併，有時也可以表明其學術類型的同質性。

❹ 同一部書目中同時使用兩種不同的分類標準，是會造成書籍隸類上的混淆，此項討論第三章中有述及。

家在處理「少量類別」的分類時，仍是把崇質或依體的分類思考模式全盤移植到附入現象中。也就是說，目錄學家將「少量類別」或者選擇一個性質相妨的類別附入，或者選擇一個體例相似的類別附入。例如我們可以在《隋書·經籍志》的兵書類中看到有關象棋方面的書，這是崇質的附入；而在譜系類之末，卻有《竹譜》、《錢譜》、《錢圖》等書，這就是依體的附入。

照這樣說來，對於「少量類別」的處理似乎是沒有什麼問題了。但是事實上卻不盡然，崇質和依體只是在進行「少量類別」的附入時的運作表象而已。我們若仔細檢視歷代的書目，可以產生三個大問題：第一，如果只是運用崇質或依體，那麼所有的附入現象應該都可以很清楚的得到解釋，但是為何有些類別中的附入現象，卻不是用崇質或依體可以說明的？例如《舊唐書·經籍志》和《新唐書·藝文志》中，為什麼屬於先秦哲學的道家典籍會和屬於外來宗教的佛教書籍同樣放在道家類中？第二，這種附入現象是否只在類別中進行？還是可以擴大到其它的層面？第三，附入的現象是輔助、或是破壞了原本藉分類來架構的學術體系？❺

要解決這些問題，本文在此提出一個新的名詞：「因循依附」，希望能從不同的角度，來詮釋目錄學中的隸類現象。

二、因循依附的定義及其運用範圍

那麼，何謂「因循依附」呢？這可從五方面來說明：

---

❺ 中國的目錄學家應是有意識的去處理這些問題，但是目前我們找不到任何相關的理論資料，因此，在此只能以後設的姿態來討論它們。

第一：這種依附的現象，在前代的目錄學中並沒有任何的討論，也沒有任何接近或類似的專有名詞是敘述這個現象的。因此，本文為敘述方便，只能在此自創一個新的專有名詞，以「因循依附」稱之。

第二：附入現象又可分為單純的「依附」，和重複使用「依附」時的「因循依附」。換句話說，所以要在「依附」之前加上「因循」兩個字，是指在依附的運作之中，「少量類別」不僅只是因著相近似的類別去「依附」，而且更進一步，這種「依附」現象有時會在同一個類別中重複的「因循」進行。第一次依附進去的「少量類別」，有時會把和它相近似的另一個「少量類別」依著同樣的運作原理也「依附」進去，而第二次被「依附」進去的「少量類別」，往往和原始類別的載錄範圍大異其趣。這種「因循」著前例而「依附」的現象，本文就以「因循依附」稱之。例如有關謚法方面的書，《隋書·經籍志》將之隸入論語類中，這是因為謚法之書數量很少，不能自成一類，於是該志就必需找尋一個可以「依附」的類別來附入。而論語類中，該志原本就已經以和論語類同為「解古今之意」為理由，附入了《爾雅》諸書，然後再以《爾雅》為基準，再「因循」附入了五經總義類的書，❻這是第一次的「因循依附」。而謚法類的書，又因是因緣《春秋》等經書的義法所架構而成的書籍，其書並不專主一經，且其義亦貫通古今，所以又第二次的「因循」前例，將謚法諸書附入此類中，遂造成了經部的論

---

❻ 《隋書·經籍志》的論語類小序說：「爾雅諸書，解古今之意，并五經總義，附於此篇。」

語類中出現謚法諸書的現象，這就叫做「因循依附」。❼

第三：只要是利用「因循依附」來處理「少量類別」，那麼在同一類中所有的書籍儘管前後會大相逕庭，但至少都會有一種單向發展、一脈相傳的內在關聯性。例如譜諜本與竹子無關，竹子又本與錢幣無關，譜諜與錢幣間更是無關，但是在《隋志・譜系類》中，因為「因循依附」原理的作用，竹譜因譜諜而來，而錢譜又因竹譜而來，遂使這三種原本不相干的類別，形成一種內在的關聯性，而全部隸置於同一個類別中。

第四：所謂「因循依附」，其內容是包含了「部」的因循依附，及「類」的因循依附兩種。類的因循依附即如上文所述之經部論語類等；而部的依附則也是運用同樣的原理，只是將層級擴大到「部」的範疇。以《漢書・藝文志》為例，〈六藝略〉中有〈小學類〉，事實上，小學並不和經學等同，但是為何〈小學類〉要放在〈六藝略〉中，〈小學類〉的小序沒有說明，〈六藝略〉的總序也沒有說明。要解釋這個現象，唯一的理由，就是「依附」。即小學為研究經學的基礎，所以將〈小學類〉依附在〈六藝略〉之後。在四分法成立之後的子部更是如此，先是梁朝阮孝緒的《七錄》，為

---

❼ 宋代的《中興館閣書目》中，就已在史部中立謚法類，專收謚法方面的書；清代《四庫全書總目》，則將謚法諸書置入史部政書類典禮之屬中。足見謚法諸書原應不屬於經部，更不屬於論語類。事實上，謚法的性質獨立，應該自成一類。陳振孫《直齊書錄解題》則將謚法隸入經部經解類，並說：「謚法與解經無預，而前志皆以入此類，今姑從之，其實合在禮注。」謚法是否應入史部禮注類，另當別論，但是由陳氏所論，應知《四庫全書總目》將之隸入政書類，也是依附現象。

了要滿足「七分」的要求，將兵家併入諸子，而成「子兵錄」；再將醫家併入術數，而成「技術錄」，造成第一次的「依附」。然後《隋書·經籍志》遂「因循」前例，將「子兵」和「技術」合併為子部，《古今書錄》又再次「因循」前例，將宗教類的書附入子部中，終於形成了子部中先秦諸子書和軍事、術數、醫學、宗教并列的怪異現象，這就是「部」的「因循依附」。❽

第五：單純的「依附」或複合式的「因循依附」，又如何和一般的正常分類、或隸類錯誤來彼此區分呢？這又要從下列三方面來說明：

1. 凡書目中有其類，但不入其類者，為隸類錯誤。例如《隋書·經籍志》的五行類中有《產乳書》、《產經》、《產圖》等生產方面的書。這些書已經失傳，不知其詳，但是我們可以設論：如果這些書的內容是由陰陽五行的觀點來談生產，那麼當然屬於五行類中以崇質標準隸類的正例無誤；但若是這些書的內容純屬醫學，《隋書·經籍志》只是因為五行類中錄有《陰陽婚嫁書》等書，遂將產書附於此類，而不置入原本就有的醫家類中，這就屬於隸類錯誤，而非屬於「依附」。
2. 有些類別的定義會改變。如雜家類，在《隋書·經籍志》雜家類小序中仍明白的以「兼儒墨之道、通眾家之意」、「出史官之職」的先秦一學派為定義，所以該志雜家類載入類書及佛教書籍，就是「依附」。但是自劉昫在《舊唐書·經籍

❽ 子部的發展另有詮釋角度，說詳下文，此處只藉以敘述因循依附的現象。

志》的總序中宣示雜家是「以紀兼敘眾說」的類別後，雜家的定義就為之改變。所以該志雜家類中載入《古今注》等與先秦雜家學派無關的書籍時，只可算是符合新定義，卻不可視為「依附」。而且後世書目中的雜家類，莫不如此。

3.有時「少量類別」的書籍，與相近的某類別分立亦可，併入亦可，此時若併入，不可視為依附。例如陳振孫《直齋書錄解題》的集部總集類中登錄有科舉時文的彙編書籍，如《擢犀策》、《擢象策》等。雖然後代的書目如《寶文堂書目》、《菉竹堂書目》、《千頃堂書目》等均設有制舉類或舉業類，將之獨立出來，但是彙編制舉時文之書其體例是屬於集合眾人之作，而內容又是屬於文學創作，和總集類的定義並不相悖。所以陳氏將之列入總集類，亦只能視為正例，而不能稱之為依附。

綜合上述所論，可知「依附」或「因循依附」的現象確是存在於歷代書目之中，而且在歷代目錄學家有意識、無理論的情況下被長期運作。值得注意的是：這個現象雖無理論可循，但是卻規律的自始至終的被使用著。因此，歸納這個現象的原理，並藉以解析目錄學中的分類問題，應是可以成立的。

三、歷代書目中的運作實例

從上述的說明，大致已可看出「因循依附」的運用法則。現在再從歷代書目中選擇幾部，將其依附現象舉例如下：

《漢書·藝文志》是中國最早的書目，也是最早開出依附先例的書目。在漢代時，史學的觀念並不明確，所以史書在漢代書目中就是以依附的方式來處理的。《漢書・藝文志》中不立史部，於是《國語》、《戰國策》、《史記》等諸史書，遂「崇質」的依附在六藝略的春秋類中。此外，《五經雜議》、《爾雅》、《弟子職》等書附入孝經類；《蹴鞠》附入兵家類；年譜諸書如《帝王諸侯世譜》等、及算術諸書，均附入曆譜類等，這些都是在「類」的等級中依附的例子。而在六藝略中，包含了小學類。小學諸書並不屬於六藝，但是置入六藝略中，明顯的是依附；而這個依附，則是屬於在「部」的等級中依附的例子。

《隋書・經籍志》以後的依附現象則愈趨複雜。《隋書・經籍志》的論語類中附入爾雅、五經總義、謚法諸書，已如上述。雜傳類中因載錄僧人道士的傳記，遂附入非屬記實的《神仙傳》等書，並再因之「因循附入」《搜神記》等志怪小說。譜系類中附入《竹譜》、《錢譜》、《錢圖》，已如上述。雜家類中附入類書如《皇覽》等；另又附入佛家書籍，如《釋氏譜》、《歷代三寶記》等，並又「因循」佛家之書附入僧人傳記，如《眾僧傳》、《高僧傳》等。小說家類附入《古今藝術》，並「因循」附入器物之書，如《魯史攲器圖》、《器準圖》等。兵家類中附入象碁、圍碁之書，並「因循」附入《雜博戲》、《雙博法》、《投壺經》等。總集類將「解釋評論」之書附入，❾如《文心雕龍》、《文章始》等。

《舊唐書・經籍志》的分類方式大致和《隋書・經籍志》雷同，惟經部多加了經解類和詁訓類，所以只有《謚法》諸書依附在經解類中。史部的雜傳類中，先「依附」了《神仙傳》等書，然後

---

❾ 《隋書・經籍志》總集類小序說：「并解釋評論，總於此篇。」

再「因循」附入《搜神記》等志怪小說，其情形和《隋書·經籍志》的雜傳類是完全相同的。在子部的道家類中，除了屬於先秦學派的道家書籍外，尚附入了性質屬於道教的《太上老君玄元皇帝聖記》、《老子黃庭經》等；而因為附入了道教的關係，所以又「因循」此例，再附入佛教類的書籍，如《歷代三寶記》、《修多羅法門》等。所以道家類中有道家、有道教、亦有佛教類的書籍。❿農家類中有性質較近於後世譜錄類的《鷹經》以及《竹譜》等，於是《錢譜》又「因循依附」其體例，也置入了農家類中。

宋代晁公武的《郡齋讀書志》中，將謚法諸書附入經部禮類。實錄類中則附入了原本應屬於章奏性質的《濮安懿王申陳》及《邵氏辯誣》。農家類中因載錄《茶經》、《茶譜》、《荔枝譜》、《酒經》、《酒譜》等書，遂附入了《錢譜》諸書。小說類中附入了屬於詩文評的《後山詩話》、《東坡詩話》、《詩眼》等。⓫類書類中附入了後代隸為譜錄類的《古今刀劍錄》、《古鏡記》、《硯譜》、《古鼎記》、《香譜》等；而且由於未設時令類，所以又把《荊楚歲時記》也附於此類中。雜藝術類原本收錄書畫、博弈之書，但附入了屬於算學的《六問算法》、《應用算》。

---

❿ 此處道教類和佛教類的書籍因循附入道家類，並不是數量少的原因，而應是《舊唐書·經籍志》在觀念上承襲了《隋書·經籍志》的即有觀念，不願將宗教類的書籍另外設類，所以就附入了道家類中，而造成了「因循依附」的現象。此說在下文中還將有討論。

⓫ 《郡齋讀書志》有袁本和衢本之分，此處所引用的是袁本中的晁氏原志。而衢本的後志之中則於集部中另立文說類，專收詩文評類的書。

陳振孫的《直齋書錄解題》經部經解類附入諡法。⓬史部法令類原本所錄為法律方面的書，卻附入建築技術的《營造法式》等。目錄類中因登錄金石書畫目錄，遂附入後代屬譜錄性質的《考古圖》、《博古圖說》、《宣和博古圖》等。子部農家類中，附入了遠於農事，卻近於文人清玩的《牡丹譜》、《花譜》、《芍藥譜》、《蟹譜》諸書。雜藝類則附入了《文房四譜》、《香譜》、《茶經》、《酒譜》，以及記錄錢幣的《泉志》等書。⓭

清代的《四庫全書總目》中依附的現象很少見。在子部的儒家類中因登錄部分讀書劄記，所以附入了一些範圍超出於儒家之外的「讀書法」諸書，如《朱子讀書法》、《讀書分年日程》等。還有法家類，其中附入了判獄之書。這是因為此目將律令之書置入史部政書類法令之屬，判獄案例的討論和宣示典章制度的政書定義不合，所以《疑獄集》、《折獄龜鑑》、《棠陰比事》等書就只好附入法家類，與《管子》、《韓子》等書並列。

四、由因循依附看分類的完備性

根據以上的舉例，很明顯的可以看出：在目錄學建立之初，依附的現象就已經出現了。這在圖書分類上幾乎是無法避免的，因為類別的設立有盡，而書籍無窮，「少量類別」的存在與處理方式，

⓬ 參見❼。

⓭ 陳氏雖然沒有給雜藝類下定義，但是由他所收錄的書籍，可以看出陳氏是以射御書數、書畫博弈等技藝方面的書為採錄標準的。所以此類中有《算經》、《應用算法》等書，只能視為正例。但是《茶經》等卻非屬技藝之書，應入譜錄類方為正例，然陳氏不立譜錄類，所以在此應視為依附。

是必然會觸及到的議題。因此我們可說，依附現象是和目錄學的發展是始終並存的。

若更進一步的分析，又可看出在《漢書·藝文志》中的依附現象是十分單純的，它只有「依附」現象，而沒有「因循」現象。可是當書籍日漸增多，「因循」就無可避免了。所以到了《隋書·經籍志》中，就出現了「因循依附」的現象。

但是我們若將歷代書目依時代順序來排比，卻可發現「因循依附」竟可成為後代書目在分類上的創革依據。也就是說，在前代是屬於被依附的「少量類別」，只要同類的書籍有再累增的現象，後代書目中往往就會將之獨立發展成為一個新的類別。像藝術類、譜錄類、詩文評類等，都是這樣發展出來的。而一旦新的類別若因「因循依附」而被推衍出來，則「因循依附」自然消失。也就是說，「因循依附」只有在書目的分類系統不夠完備時，或許多類別被否定時，才會大量出現。可是一旦分類系統完備，那麼僅管書目中「依附」的現象偶然仍會存在，但是「因循」的現象就會大幅減少，甚至完全消失。若據此觀點來推衍，則「因循依附」出現的時機和頻率，正是檢驗書目分類系統是否完備的一個最佳判別標準。

因此，我們從歷代書目中可以看出，在分類系統——尤其是四分法——尚未完備的唐朝、五代時期，書目中「因循依附」的現象就較多。但到了宋代以後，書目日趨完備，書目中便逐漸只存「依附」，而「因循」的現象就相對的減少了。

舉例來說，《隋書·經籍志》論語類中的「因循依附」現象，是因為該志經部設類不夠完備所造成的。承襲它的《舊唐書·經籍志》即加以改良，在經部中多設立了「經解」類和「詁訓」類，前者收錄五經總義類的書籍，後者收錄《爾雅》方面的書籍，於是《隋書·經籍志》論語類中的「因循」現象，到了《舊唐書·經籍志》中就消失了，只剩下《謚法》諸書「依附」在詁訓類之末，其餘諸書就各歸其類，不再「因循」。

又例如說，歷代書目中有時令類的並不多，所以有關時令方面的書籍多附入農家、或是其它相近的類別。陳振孫《直齋書錄解題》中就設有時令類，並有小序說：

> 前史時令之書，皆入子部農家類，今案諸書，上自國家典禮，下及里閭風俗悉載之，不專農事也。故《中興館閣書目》別為一類，列之史部，是矣！今從之。

由陳氏的小序，我們可以看出陳氏已經發現了前代書目中的依附現象，而且認為不妥。所以他在《中興館閣書目》中找到前例，設立了時令類，⓮將前代書目中時令書籍的依附現象消除掉。於是在陳氏書目中，時令方面的書籍當然就不會有依附的現象。就此而論，陳氏書目的分類多達五十三類，當然比其它的書目體例要完備些，「因循」的現象也因之相對的大幅減少。

至於《四庫全書總目》，可算是四分法中的代表，全書雖然只分隸了四十四類，但是由於此目將分類法推衍到第三級，在四十四類下再分成六十六個子目，所以事實上此目可說是共有六十六個門類。再加上此目是代表清代官方推行教化的書目，對於書籍有嚴格

⓮ 其實較早的《崇文總目》史部中就已有歲時類，和時令類是完全雷同的。

的篩選，所以這部書目是在以詳盡的分類系統來轄屬有限的書籍門類的情況下編輯而成的。因此，這部書目中的「依附」現象自然就十分稀少，更遑論「因循」現象了。

五、依附、因循依附和學術系統的關係

儘管由「因循依附」可以判別分類系統的完備與否，但是分類系統的完備，並不等同於學術系統的完備。也就是說，也許「因循依附」可以輔助架構分類系統的完備性，但是「因循依附」卻可能反而會破壞學術系統的周密性。

這個問題要從「依附」或「因循依附」的運作原理來說。「依附」或「因循依附」都是運用崇質或依體來進行的，但是我們從前文所舉的例證來看，歷代書目中在運用崇質或依體時，並沒有固定的法則。以上文所舉的例證來看：《隋書・經籍志》的論語類中，附入《爾雅》、五經總義、謚法諸書，是崇質的附入；但是譜系類中附入《竹譜》、《錢譜》諸書，則是依體。《郡齋讀書志》的實錄類中，附入屬於章奏性質的《濮安懿王申陳》等，是崇質的附入；但是類書類中附入《古今刀劍錄》、《硯譜》等書，則為依體。這樣的例證不勝枚舉，比比可見。所以，歷代書目在處理「少量類別」，要選擇相關類別去依附時，可說完全是隨機性的去運用崇質或是依體，並沒有一個客觀的選取標準。

中國歷代書目中，各類的設立標準是崇質或依體，並沒有一個固定的運作模式。也就是說，在同一部書目中，有的類別是用崇質，有的類別是用依體。但是不論是崇質或依體，在同一個類別中，只要沒有依附現象，該類一定只存在一種單一標準，而不會在

同一類中同時出現崇質和依體兩種不同的標準。這個現象，可說是沒有標準下的標準，沒有法則下的法則。雖然有時會出現某些書籍不知該崇質去歸類、或依體去歸類的情形，但大致來說，仍有上述的「單一標準」法則可以去尋檢，不至於漫無目標。

但是一旦「依附」或「因循依附」出現，情形就大不相同了。我們幾乎無法斷定被依附的書籍會隸入那一類；尤其是「因循依附」，因為是層累相因的關係，後世學者在檢尋書目時，根本無法在未知的情況下，去逆推某些「少數類別」會被隸入什麼類別中。因為「因循依附」給崇質和依體之間的轉換提供了媒介。在一個崇質的類別中，可以因為「因循依附」而收錄依體的書籍，而反之亦然。也就是說，以「因循依附」為媒介而進行編目的話，崇質和依體兩者，會在同一類中並存。因此，這個媒介的運用，會使原本就已界定不明的載錄標準更加混亂。例如說：在《隋書・經籍志》中，《雜博戲》要到兵家類中去找；在《舊唐書・經籍志》中，《錢譜》要到農家類中去找。博戲的書或許和兵書在本質可能相近，但是體例卻未必相合；《錢譜》或許和農家類中的某些書籍體例相符，但是性質卻格格不入。所以我們除非事先眼見到這些書目的分類情形，否則只憑常理，根本無由揣測這些「少數類別」會被隸入那一個類別之中。

而最大的問題是：經歷「因循依附」運作過的類別，最後所收錄的書籍，其性質和原類別的性質大不相同，原來是崇質或依體的「單一標準」也完全被破壞掉了，這完全和目錄學所講求的藉分類以明學術系統的基本原理相悖。因此，「依附」和「因循依附」雖然在某種程度上解決了「少量類別」的問題，但是它也同時帶來了錯亂學術系統和違背分類原理的另一層次的問題。

其次，「少量類別」的學術特性，在「因循依附」的處理方式下，幾乎被泯滅殆盡；除非我們逐一檢視每一部書目中各類所錄的書籍，（僅從書名是無法推斷書籍的內容的）否則「因循依附」會使「少量類別」原本應具備的獨立學術性，淹沒在所附類別的原有書籍中。如此一來，我們若是試圖從書目的類別中共尋求學術源流，便會倍增困擾。尤其是在崇質和依體的選擇標準不定、前代書籍又大量流失的情況下，考鏡源流就更不易。而書目所應具備的藉分類以明學術源流的功用，也因而無法產生。

而這個現象是和「因循依附」原本被設定的其中一項功用——考鏡源流恰好背道而馳。《隋書經籍志・雜傳類》的小序說：

> 因其事類相繼，而作者甚眾，名目轉廣，而又雜以虛誕怪妄之誤。推其本源，蓋亦史官之末事也。

該類小序所以會說這段話，是因為該類採錄的範圍原應以一般性的人物傳記為主。但是由於《隋書・經籍志》中設類不足，所以該類中便附入了僧人道士的傳記，再依次「因循依附」了虛構性質的《神仙傳》，以及各種志怪小說。如前文所述，在「因循依附」的作用下，同一類中書籍的性質會越拉越遠，所以該志小序要特別強調雖然「名目轉廣」，但是若「推其本源」，則這些書籍應都是屬於同一個類別的。

「推其本源」固然是該類運作「因循依附」的理論，但是這個理論卻是十分簡陋的。所謂「本源」，應是就書籍的本質意義來說的，也就是說，這些書籍的依附，應是屬於崇質的依附。僧道傳記及神仙傳等，尚可說是在本質意義上和此類相通，但是志怪小說諸書，無論是從崇質或依體上來說，都和此類格格不入，「本源」之說，自然不攻自破。所以我們若從其「推其本源」的理論，想要在該類中「考鏡源流」，是根本不能成立。而且該類所收錄的書籍在性質上前後相互矛盾，志怪小說的特質更不能在「雜傳」的名目中表現出來，志怪小說的特質也因之被泯沒，所以在「因循依附」的運作之下，連學術系統也錯亂了。

因此，固然「考鏡源流」是「因循依附」的合理詮釋之一，也是目錄學家自圓其說的重要理論之一。但是「因循依附」的現象，卻反而打破了這個理論，這是無法突破的一個難關。在「因循依附」的運作下，源流既無法考鏡，清代章學誠在《校讎通義·敘》中所說的「辨彰學術」，自然是也因之無法呈現了。

此外，在運用「因循依附」時，又有另一個問題要考量。前文曾經提到過，使用「因循依附」的類別，其所收錄的書籍雖有性質上的迴異，但是其內在皆有其關聯性。如《舊唐書·經籍志》的道家類中，雖然最後所收錄的佛教書籍和此類的原始定義不同，但是由先秦道家「依附」出道教，再由道教「因循依附」出佛教書籍。所以看似無關的書，卻在原理上有其內在的關聯性。再者，前文又曾經討論過，這種「因循依附」的原理，是可以擴展到「部」的層級的。

可是我們若用上述觀念來看《隋書·經籍志》以後的四分法中的子部，卻又有不通之處。因為唐代以後，只要是用四分法做分類方式的，其子部所轄屬的類別必定十分繁雜，在子部的各個類別之間，也並不一定能用「內在的關聯性」來詮釋「因循依附」的關係。例如說，子部中有屬於哲學的先秦諸子學派，也有屬於軍事的兵家類，也有屬於科技的天文類，也有屬於數術的陰陽五行類，也有屬於醫學的醫家類，也有屬於宗教的釋道類，更有不知該如何隸部的類書、叢書等。這些類別從一開始就沒有可以「因循依附」的「內在關聯性」，可是在歷史的發展中，這些類別就這樣逐漸被一一併入，形成了現在這種不知該如何解析的「子部」。

所以，我們或許應將「現象上的因循依附」視為第一層次，然後再提升理念，發展第二層次的「概念上的因循依附」，來系統化的詮釋目錄學上的分部和分類現象。所謂「概念上的因循依附」，是指某些書目的分類方式，在開始時並不一定是用「依附」的觀念，它可能僅僅是一個不合理的合併，但是後代的書目卻可以將此視為「因循」的媒介，而相繼的「依附」下去。早在《七錄》之中，就可以看到這樣的例證。它將《漢書·藝文志》中的兵書略和諸子合併為〈子兵錄〉，把科技、數術、醫學合併為〈技術錄〉，這個現象其實是不合理的。這些類別之間，既不同體裁，性質也不相近，它們所以合併是《七錄》的編者阮孝緒為了要維持「七分」的理念，硬是將幾個原本不相融的類別合併在一起。所以這次的合併，是「強迫性的合併」，是不符合「因循依附」的原理的。可是此例一開，「可以將不同質、體的類別加以合併」的概念，卻變成了「因循」的理由。於是《隋書·經籍志》就將《七錄》中的〈子兵錄〉、〈技術錄〉合併為子部，唐代《古今書錄》又因循前例，把宗教性質的釋家類、道家類也置入子部。自此之後，凡是無法在經、史、集部中立足的類別，如類書、叢書、藝術類、譜錄類等，都理所當然的「因循」這個概念，全部「依附」到子部之中，使子部成為一個大雜燴式的部別了。這種「概念上的因循依附」，就是「因循依附」的第二層次的運用。如果把四分法放在這「第二層次」來看，那麼四分法中的子部，也就不會覺得過分的不合理了。

如果我們把「概念上的因循依附」展開利用的話，它除了可以將子部原本不合理的現象適度的合理化外，尚可用以詮釋某些類別中的繁複現象。

固然，只要書目的編輯者下了確切的定義，那麼每一類都可依其定義去收錄書籍。可是「下定義」並不等同於「定義合理」。例如說《四庫全書總目》子部雜家類中，同時並列了雜學、雜考、雜說、雜品、雜纂、雜編等六個子目，於是屬於先秦一個學派的「雜家」，就和後世彙編書籍的叢書放在一起了。由於該類小序中已經明白的說明了該類是由六個子目所組成的，所以我們不能說雜家、叢書同列是錯誤的。但是，這明顯的不是一個合理的現象。此時，「概念上的因循依附」又提供了一個將此形式在解釋上適度合理化的途徑。

我們不妨暫時將歷代書目中的各個類別分成「單一型」和「複合型」兩大類。所謂「單一型類別」，如詩類、書類，只收錄同一研究主題的書籍，這是最單純的類型。但是如譜錄類，則是在其定義範圍之內，所收錄的書籍便可以無限制的擴充；而且這些書籍，是可以在內容、方向上完全不同，體例也可以毫不相仿的。例如《四庫全書總目》中的譜錄類，共分成器物、食譜、草木鳥獸蟲魚三個子目，於是鐘鼎、刀劍、食譜、花卉等這些原本不相干的品類，全部都納入了同一個類別中了。上面所說的雜家類，情況也完全相同，像這些類別，就可以稱作「複合型的類別」。

這種「複合型的類別」，有的或許可以解決一些定義不明確的「少量類別」的隸類問題，如譜錄類；⑮也有的卻錯亂了學術體系，如上文所舉的雜家類。但無論其在學術上或目錄學的分類運作上是功是過，這些「複合型的類別」之所以能夠成立，在構成方法上，則應是屬於「因循依附」的展開利用，當是無可置疑的。

六、正反兩極化的運作成果

「依附」和「因循依附」在目錄學中，除了可以解決「少量類別」的問題外，它也可以呈現或解決目錄學內較為隱微的問題。

例如說，我們在運用歷代書目時，大多有一個很基本的觀念，就是書目中的類別代表著當代的學術門類。如果有某一個新的類別出現，我們就會認為那個時代已經形成了一個新的學術門類；反之，如果有某一個類別從書目中消失不見了，那就表示該學術門類在當代已經被淘汰。這樣的觀念固然沒有錯，但問題是，第一，書目並非逐年編纂的，所以對學術界的反應極慢。第二，在編書目時，每人所援用的資料皆各有其有限性，有些人只編自己的藏書，有些人編官方藏書。但就當代所有的圖書來說，而這些書籍一定只是一部分而已。第三，學術門類是逐漸形成的，一定有一段醞釀

⑮ 譜錄類首創於宋代尤袤的《遂初堂書目》，後世多稱美。如《四庫全書總目》譜錄類小序即說此類創立後，「於是別類殊名，咸歸統攝，此亦變而能通矣！」於是「今用其例，以收諸雜書之無可繫屬者。」可知此類的設立，雖然內容繁雜，可是卻的確解決了一些「少數類別」的歸類問題。

期，這些尚不足以成類的書籍，如果有些已經廣為傳世，不能漠視，又當如何處理？

此時，我們若用「依附」或「因循依附」做為考察的角度，這些問題便很容易得到解決。只要是不能成類的書籍，若要列入書目中，便一定要採用「依附」的方式。所以，有「依附」現象出現的地方，也就是值得再去深入觀察和思考的地方。我們也可以從反面來思考，如果我們想要知道學術門類消長的蛛絲馬跡，只要去尋找是否有「依附」現象即可。而且我們可以更進一步的說，「依附」現象從另一個角度證明了：書目中的類別，並不完全等同於學術門類。至少，書目在設類時，是無法完全和學術門類相互緊密配合的。否則，就不會有「依附」現象出現了。

其次，被編目者所否定的類別，也可以利用「依附」的原理，將其書載入書目中，以存「文獻」。舉例來說，有些人替官方編纂書目，只能在官方認可的範圍內設類，不能有礙「教化」，所以並不是所有當世的書籍都可設類。有些私人所編的書目，如果編者也特別重視「教化」，便也同樣會選擇性的設類。也就是說，書籍的產生並不和類別的產生等同；即有其書，並不表示該項門類也同時在當代的學術範疇中得到認同。

以佛教書籍為例，在《隋書·經籍志》中，宗教是刻意被泯沒的。所以該志將道教、佛教之書只列為附錄，而且不載書名，只錄總卷數。但是某些與佛教有關的書籍，又有「文獻」上的價值，所以《隋書·經籍志》便將這些書「依附」在子部雜家類中，既刻意泯滅了宗教類，但又保存了相關的重要文獻。在《舊唐書·經籍志》中也不設宗教方面的類別，但是自從六朝以來，書目中或在正文內、或以附錄的型態收錄宗教方面的書籍，已經成為既有的模式。《舊唐書·經籍志》不立宗教的類別，但又不能漠視宗教方面的書籍，所以便用依附的方法來處理它們。該志將道教的書籍溯其本源，依附於子部道家類中，然後再又運用依體的原則，把佛教類的書籍依附於道教類的書籍之後。於是該志的子部道家類，其內容事實上包含了道家、道教、佛教三個不同領域的書籍。而佛教類的書籍是因循著道教類的書籍而依附進去的，和道家類的原始收錄範圍大不相同，這就是「因循依附」的展開利用。這樣的展開，其運作範圍實已超過了「少量類別」，而擴及於在編目思想上的「被排斥類別」了。

綜上所述，「依附」或「因循依附」的運作，在目錄學上的確有其正面的意義，但是它同時在學術系統的辨析上，卻產生了負面的影響。顧此而失彼，這個矛盾是無法破除的。

第七章　標題法觀念的出現

一、何謂標題法

標題目錄是近代西方圖書館學中的一個專有名詞，這個名詞，要從「標題」和「標題目錄」兩個角度來界定。

所謂「標題」（Subject headings），根據美國圖書館協會（A.L.A.）出版的《圖書館名詞彙釋》，其定義為：

> 標題是一個字或一組字，在一種目錄、書目或檔案中，指示一個主題，將所有相關的資料集中於一處。❶

而所謂「標題目錄」，據日人加籐宗厚的說法，其定義為

> 標題目錄，是表現圖書主題標目名詞的目錄。❷

---

❶ Elizabeth, H. Thompson, 《A.L.A. Glossary of Library Terms.》 Chicago, Illinois: A.L.A. 一九四三年。

❷ 見加籐氏撰「標題目錄要論」，李尚友譯，文華圖書館學季刊六卷三期，一九三四年九月，頁 498。

美人 C.A. Cutter 更將標題目錄的目的界定為：

一、使某人根據已知的標題找到所要的書。

二、依據主題顯示圖書館中的館藏。❸

其它尚有不少學者對這個問題做出詮釋，由於內容都大同小異，所以不再一一引述。❹

從上面的定義和目的中，我們可以明顯的看出，這個「標題目錄」可說是純粹的西方產物；而且是為便於在西方的公共圖書館中編目和尋檢資料而設計的。乍看之下，援引這個名詞來討論中國的目錄學，似乎有點不當，但是我們若略去「標題目錄」所產生的時空背景不論，單就其意義及目的而言，或不失為重新詮釋中國目錄學中某些特異現象的途徑。

二、中國傳統分類法的缺失

標題目錄的構成概念，和中國正統目錄學的基本理念是大異其趣的。我們現在若把用「標題目錄」來編目的方法叫做「標題法」，那麼中國傳統的二級或三級的七分法及四分法、以及西方的

---

❸ 見其所撰《Rules for a Dictionary Catalogue》, Washington: Government Printing Office，一九〇四年。

❹ 有關「標題目錄」的問題，已有不少專論問世。本節上文所述，多引自：薛理桂撰《圖書館標題目錄之研究》，中國文化大學史學研究所碩士論文，一九七九年六月。另可參見《Encyclopedia of Library & Information Science》By Marcel Dekker, INC. 一九八〇年。

杜威十進位分類法等，便相對的可以稱之為「分類法」。

中國的傳統分類法，無論是七分法或四分法，無論是二級或三級的結構，都是以書籍為主要的思考焦點。它企圖藉著書籍的分類，達到建立學術系統的目的。也就是說，中國目錄學中的類別，並不一定完全等於書籍的類別，而卻較接近於學術的類別。❺在中國傳統的分類結構中，書籍統屬於類，類統屬於部，書籍的性質，不可超越於類的定義之外；而類的定義，又不可超越於部的定義之外。藉著這樣的結構，可以清楚明白的表示書籍的屬性。若以四分法為例：譬如《史記》，是屬於「正史類」的書籍，而「正史類」，又是屬於「史部」中的一個類別。而史部中的各個類別，橫向構成了「史部」的意義範疇；而史部又和經部、子部、集部，又橫向構成了當代的學術全貌。這種縱向轄屬、橫向聯繫的特性，是中國傳統分類中的一項重要基本概念。而為了維持中國傳統書目中的這項特色，中國歷代的書目一向是以二級以上的轄屬結構為正宗的。因為只有二級以上的分類法，才可以把書籍的屬性以及學門之間的關聯性完全的顯示出來。❻

可是標題法的概念卻完全不一樣。標題法是以研究主題為思考焦點，它只採用一級分類法為其轄屬結構。所以標題法並不強調類別之間的關聯性，它彰顯的是在一個研究主題之下，有那些書籍資料是應該被放置在一起，而這些研究主題又往往是跨越一個以上的

---

❺ 有關目錄分類和學術分類的問題，可參見第一章緒論中的論述。

❻ 分類的結構問題，可參見第四章。按標題目錄如以轄屬結構的觀念來說，它當然是只有一級的。

學術門類的。

中國傳統目錄學所使用的這套方法，優點是呈現了學術系統。缺點則是為了要呈現學術系統，以致固定了分類法，如果在學術發展的過程中，出現了新的門類，只能在已有的部略中不論扞格與否的安置；甚至原來已有的門類，為了牽就部略的限制，也不得不勉強置入。四分法中，每一部都有不適合的門類出現，就是這個原因。舉例來說，七分法中都是獨立的數術書籍，在四分法中卻沒有安身立命的地方，於是從《隋書·經籍志》開始，用四分法的書目都援引晉朝荀勗所編的《中經新簿》為先例，將數術書和諸子書放在一起。而《中經新簿》這部書目，其實是絲毫沒有編目觀念的。為了牽就四分法，於是子部變成了一個無法下定義、界限不明的部門。又例如後代興起的類書類、叢書類等，在無部可隸的情形下，都只好置入子部；以文學批評為主要內容的詩文評類置入集部，也頗有可議之處。凡此種種，都是中國這套「縱向轄屬、橫向聯繫」的編目法所造成的。而這套編目法，卻也是中國傳統目錄學中編目方法和思考模式的主流。❼

除了新的門類有可能必須強行安置外，這種編目方法還有一個缺點，就是它無法呈現出橫跨兩個部略以上的研究主題。例如說，如果我們把研究主題訂為「蘇軾著作研究」，由《宋史·藝文志》中可得到的蘇軾著作有：

---

❼ 有關分類的問題，可參見第四章。

經部	易類	易傳九卷
	書類	書傳十三卷
	論語類	論語解四卷
子部	小說家類	東坡詩話一卷
	醫家類	良方十五卷
集部	別集類	前後集七十卷、奏議十五卷、補遺三卷、南征集一卷、詞一卷、南省說書一卷、應詔集十卷、內外制十三卷、別集四十六卷、黃州集二卷、續集二卷、和陶詩四卷、北歸集六卷、儋耳手澤一卷
	總集類	三蘇翰墨一卷

我們現在所以可以很輕易的得到這樣的資料，是因為現代出版的書籍大都附有索引。可是在古代中國，書後沒有索引，如果要找這樣的完整資料，將是一件十分困難的事，很可能要逐頁翻閱完畢全本《宋史・藝文志》，才能得到散置在三個部、七個類的蘇軾著作資料。

三、標題目錄的雛型

這樣的困難，其實是可以經由編目方法的改變而解決的。「標題目錄」的最大優點，即在破除部略的限制，不再運用「縱向轄屬、橫向聯繫」的思考模式，而直接以研究主題為「標題」。例如說，各個人名皆可以獨立成為一個標題，各個學術專有名詞也可以獨立成為一個標題，只要是眾所周知、大家共同承認的名詞，都可以成為一個標題。由於這些標題都是各自獨立的，並不隸屬在任何系統之下，所以在思考上不會造成屬性的干擾。也就是說，它並不被局限在經、史、子、集等任何一個部略的學術範疇之下，而是跨越部略，只以一個單一的學術研究主題為對象的編目方法。若再說得淺顯明白些，其實每一個標題，就是這個研究主題的一份參考書目。這份參考書目，當然是以研究主題為對象，而不是去考慮這個標題該隸屬於那一個部略之下。

當然，這並不是指標題法就優於分類法，這兩者之間可說是各有優劣，而且是優劣互補的。例如說，分類法學術系統明晰，編目組織簡單明瞭；但是標題法卻能迅速反應新的學術門類，增刪靈活等。❽所以，這兩種分類法的優劣並非討論的重點。值得考察的

---

❽ 有關兩者的優劣比較，可參見丘峰撰〈主題法與分類法〉一文內之比較表。該文收入白國應等編《圖書分類學文集》，書目文獻出版社，一九八五年，北京。

主題法與分類法利弊比較表

比較次序	比較角度	主題法	分類法
1	結構體系	從特定事物的整體著眼，按表達事物概念的規範化詞語（即標題）字順排列，便於特性檢索，對諮詢和查找專題文獻有利。	從事物的某一方面出發，按表達事物概念的碼號（即類號）排列，便於族性檢索，對搜集、排架、借閱、統計出通報有利。
2	標記符號	以自然語言為標記符號，直觀、易記。	以人為語言為標記符號，不直觀，較難記。
3	修改補充	不受體系約束，增刪靈活，修訂方便。	體系固定，修改較為困難。

是，中國傳統的目錄書籍中，除了使用分類法之外，是不是曾經有過使用標題法、或是出現過類似標題目錄的現象？如果有的話，它又代表了什麼意義？

中國歷代書目之中，在宋代以前雖然有一些變化，例如六朝時期的七分法和四分法之爭等，但是都限於在「分類法」的概念中變化，只有門類在部略之下的增刪而已。直到南北宋之交，鄭樵編撰《通志·藝文略》，才有了較為重大的改革。鄭樵把天下圖書分成十二大類、一百五十五小類，小類之下，再分為二百八十四子目。這是中國的圖書分類法中第一次出現推到第三級轄屬結構的書目，而且，它仍然是使用「分類法」編成的書目。鄭氏所列舉的十二大類分別是：

> 經類、禮類、樂類、小學類、史類、諸子類、天文類、五行類、藝術類、醫方類、類書類、文類。

我們當然不可以說鄭氏這部書目是用標題法編成的，因為它是道地的分類法書目。可是若針對當時通行天下的四分法來看，鄭氏的

4	與新技術新學科的關係	比較及時，較能突出地反映新技術、新學科的發展。	落後於新技術、新學科的發展，即使反映，也易受大類埋沒。
5	組配方式	靈活、多樣，可滿足多元檢索要求。但組配不當，易混亂。	機械、單一，較難滿足多元檢索要求。
6	目錄組織	較為困難。	較為容易。

《藝文略》有一個很大的突破，就是他已經不再受限於經、史、子、集的四分觀念，而直接以學術主題為考量重點。天文類、五行類、藝術類、醫方類、類書類獨立於諸子類之外，並將各個學科領域嚴明區分、各自獨立，可說是脫胎於七分法，但較七分法更合於學術分立原理的作法。尤其把禮類、樂類、小學類獨立於經類之外，更是重大突破，不但重新考慮了前代經部的結構，而且也等於重新為經書的定義提出再思考的必要性。❾為此，我們不妨將鄭氏的《藝文略》視為一部全新思考方式的書目，他對於學術主題的重視，大於對傳統學術分類的考量。尤其是鄭氏把一百五十五個小類再區分為二百八十四個子目的做法，更是具有高度的「標題目錄」的傾向，所以，儘管鄭氏使用的仍是分類法，但是已具備了標題目錄的啟發性和暗示性。

受到鄭樵的影響，明代的焦竑在編纂《國史經籍志》時，也採用了同樣的方法。焦氏該志仍用四分法，除書首冠「御制書」外，全書分四部四十八類，類下再分為三百零五子目。明末祁氏編《澹生堂藏書目錄》時，也是將書目分為四十六類，二百四十三子目。❿這些大量臚列子目的書目的出現，我們應該可以視為是在「分類

---

❾ 「經」有恆長久遠之意，但是禮和樂都是隨時代增益和改變的，所以禮和樂不應放置在經部內；這個觀念後來影響到宋末陳振孫的《直齊書錄解題》和明代以後的許多書目。而小學類的書更是和「經」的原始定義不合，獨立於經類之外，是十分合理的事。

❿ 一般在討論到祁氏書目時，都認為該目雖不列四部之名，可是在類的架構上仍是以傳統的四分法類別順序為主，所以都將之視為一部四分法書目。可是我們若脫離四分法的陰影來看這部書目，它是不是可以被重新定位在

法」的觀念尚未突破時，編目者不自覺的向「標題法」方向努力的過渡時期產品。

四、明代以後標題目錄的發展

真正用標題法觀念編成的書目，要到明代中葉才出現。但是在此要澄清的是：終至清末民初西方的圖書編目觀念和法則傳入中國以前，中國的傳統目錄學中，始終沒有出現過「標題目錄」或「標題法」之類的名詞，甚至連類似的學說或理論都不曾出現過。然而，中國的目錄學界本來就甚少提出理論，連在中國圖書分類法中最具代表性的七分法和四分法，自始至終也都沒有出現過理論，更遑論這種不合正統作法的標題目錄了。所以，我們暫時可以不必去尋找理論，而直接由書目本身中去歸納和探索明代中葉以來在目錄學上的一些特殊現象。

任何事物的改變，都會有一段醞釀期。在醞釀期中產生的作品，並不一定是有意識去創作的，可是不管它是有意識的改革，或是無意識的改變，都同樣對後世能產生影響力。明代書目中首先產生變化的是官修的《文淵閣書目》，這部書目雖是官修的，可是它和歷代書目之間有很大的兩項差異：一是它不採用四分法或七分法，完全打破部略的限制，二是它採用一級轄屬結構，並沒有部、類之上下隸屬關係。這兩項特色，都是歷代官修書目所沒有的。此

以二級轄屬結構、用比鄭樵更進步的「標題法」觀念所編成的書目呢？若是這樣來想，祁氏書目在明代標題目錄的發展過程中，就具有特殊的歷史意義了。

目的類別一共有三十九個，先列舉如下：

> 國朝、易、書、詩、春秋、周禮、儀禮、禮記、禮書、樂書、諸經總類、四書、性理、經濟、史、史附、史雜、子書、子雜、雜附、文集、詩詞、類書、韻書、姓氏、法帖、畫譜（諸譜附）、政書、刑書、兵法、算法、陰陽、醫書、農圃、道書、佛書、古今志（雜志附）、舊志、新志。

這部書目共二十卷，是明英宗正統六年（1436 A.D.）時少師兵部尚書兼華蓋殿大學士楊士奇所編。書首有〈文淵閣書目題本〉一文，曰：

> 本朝御製及古今經史子集之書，自永樂十九年南京取回來，一向于左順門北廊收貯，未有完整書目。近奉聖旨，移貯于文淵閣東閣，臣等逐一打點清切，編置字號，寫完一本，總名曰《文淵閣書目》，合請用廣運之寶鈐識。⓫

由於這部書目不依四分成法，而且又有「編置字號」，如國朝為「天字號凡五櫥」、禮記以上為「地字號凡四櫥」等，以致於歷代討論到這部書目時，大都以書籍典藏時的清冊來看待它，而不把它看成一部正規的書目。可是我們若能破除傳統「分類法」的觀念障

⓫ 見《文淵閣書目》，臺灣商務印書館，一九六七年臺一版。按武英殿本《四庫全書總目》所引與此文略有出入。

礙，當可發現這部書目其實是以一種接近標題目錄的編目法所編成的。

楊士奇是明代有名的學者，他對目錄學上的四分法理應十分熟悉，況且他在〈文淵閣書目題本〉中，已經揭櫫他所面對的是「本朝御製及古今經史子集之書」，可見楊士奇並非不知四分法，他的「逐一打點清切，編置字號」，應該是一種有意識的編目行為，而非只是花了許多時間之後，只編成一部書籍清冊，還請皇帝鈐印皇家藏書專用的「廣運之寶」。

這部書目已有許多類別是以研究主題來製定的，例如把後世禮書和隸屬於經書觀念之下的三禮類相互區隔，另立「禮書類」；又例如以宋代以來的學術發展為考量重心，而設立「性理類」、「經濟類」；又例如將「法帖」、「古今志」獨立成類等。這些類別若以傳統的四分法去思考，它們不是應被散置在四部之下，就是應和某一類合併。以「經濟類」為例，此書目收錄的有：

唐太宗帝範
陸宣公奏議
宋仁皇訓典
宋詔令
李文肅公經濟編
鄭魯公西垣詞草
東南防守利便
呂東萊制度詳說
董煟活民書

宋太平寶訓
倪思承明集
宋名臣經濟錄
大元通制
國朝典章
瞻思河防通議
馮子亮舉業筌蹄
劉錦文答策祕訣

我們如果用傳統四分法的觀念來看以上這些例子，不難發現它們不但是分屬於史、子、集各部，而且在各部之中還隸屬於不同的類別，例如帝範、訓典、寶訓、詔令、奏議等書，可入史部詔令奏議類；⑫制度、典章、活民書可入史部政書類；河防之類的書可入史部地理類；經濟編、文集等書可依其體例入集部別集類；至於舉業之書則可入集部總集類或詩文評類。可是現在這些書卻可以以「經濟」為標題，將之全部納入一個類別之下。所以，我們若是以這樣的觀點來看這部書目，其實這部書目可以被視為是用標題法的觀念編成的。

當然，由於沒有任何證據或理論可以證明楊士奇確實是有意識的變更分類法為標題法，所以我們只能將這部書目當做是一部過渡時期的產品。我們並不明白楊士奇這樣做的原因，但是他的作法，

---

⑫ 宋代的《遂初堂書目》、《直齋書錄解題》及元代的《文獻通考》，章奏類均入集部。

卻在明代留下了深遠的影響。昌彼得先生在《中國目錄學》一書中評論此書道：

> 自晉以來，歷代祕閣的書目都以四部分類，相沿成習。自此目出，打破了往例，故明代的私家藏書編纂書目，頗多引為護身符，任意新創部類，不再遵守四部的成規，在中國圖書分類史上，實為一大解放，故論者以為《文淵閣書目》有衝鋒陷陣之功。⓭

的確，在明代中葉以後，大量不守四部成規的書目陸續出現。⓮例如繼《文淵閣書目》之後續編的《內閣藏書目錄》，編目的方法和觀念就和前者完全一樣。⓯

不僅官方如此，私家所編的書目更是值得注意。而且進入清代以後，私家書目往標題目錄的方向發展，尤其變得十分明顯。這些私家書目，都打破了四分的限制，而且全都合乎標題目錄的特色，採用沒有上下隸屬關係、沒有橫向呼應關係，各類完全各自獨立的一級結構所編成。現在我們先依編纂時代先後，將這些書目的類別

⓭ 見該書第六章第一節。文史哲出版社，一九八六年九月，臺北市。所謂「論者」，應指姚名達先生在《中國目錄學史》分類篇中所提出的說法。臺灣商務印書館，一九七七年臺七版，臺北市。

⓮ 明代的書目中，就算是用四分法，也是在類目上大加變化。此事下文會有論述。

⓯ 該目也用一級結構，分十八類：聖制、典制、經、史、子、集、總集、類書、金石、圖經、樂律、字學、理學、奏疏、傳記、技藝、志乘、雜。

列出來：明武宗正德三年（1508 A.D.）陸深撰《江東藏書目》，分為十四類：

> 經、性理、史、古書、諸子、文集、詩集、類書、雜史、諸志、韻書、小學醫藥、雜流、制書。

明世宗嘉靖間，晁瑮撰《寶文堂書目》，分為三十四類：

> 御製書、諸經總錄、易、書、詩、禮、春秋、四書、性理、史、子、文集、詩詞、類書、子雜、樂府、四六、經濟、舉業、韻書、政書、兵書、刑書、陰陽、醫書、農譜、藝圃、算法、圖誌、年譜、姓氏、佛藏、道藏、法帖。

明世宗嘉靖三十年（1551 A.D.），孫樓撰《博雅堂藏書目錄》，分為十八類：

> 經、史、諸子、文集、詩集、類書、理學書、國朝雜記、小說家、志書、字學書、醫書、刑家、兵家、方技、禪學（附道書）、詞林書、制書（附試錄、墨卷）。

明末清初，錢謙益撰《絳雲樓書目》，共分七十三類：

> 經總、易、書、詩、禮、樂、春秋、孝經、論語、孟子、大學、中庸、小學、爾雅、經解、緯書、正史、編年、雜史、

史傳記、故事、刑法、譜牒、史學、書目、地誌、子總、子儒家、道學、子名家、子法家、子墨家、子類家、縱橫書、子農家、子兵家、子釋家、子道家、小說、雜藝、天文、曆算、地理、星命、卜筮、相法、壬遁、道藏、道書、醫書、天主教、類書、偽書、六朝文集、唐文集、唐詩、詩總集、宋文集、金元文集、國初文集、文集總、騷賦、金石、論策、奏議、文說、詩話、本朝制書實錄、本朝實錄、本朝國紀、傳記、典故、雜記。

清世祖順治年間，錢曾撰《讀書敏求記》，分四十四類：

經、禮樂、字學、韻學、書、數書、小學、史、時令、器用、食經、種藝、豢養、傳記、譜牒、科第、地理輿圖、別志、子、雜家、農家、兵家、天文、五行、六壬、奇門、曆法、卜筮、星命、相法、宅經、葬書、醫家、鍼灸、本草方書、傷寒、攝生、藝術、類家、集、詩集、總集、詩文評、詞。

稍後，在康熙八年（1669 A.D.），錢曾又撰《述古堂藏書目》，分為七十八類：

經、易、書、詩、春秋、禮、禮樂、易數、儒、小學、六書、金石、韻學、史、雜史、傳記、編年、年譜、雜編、姓氏、譜牒、政刑、文獻、女史、較書、子、子雜、文集、詩集、詞、詩文評、四六、詩話、類書、小說家、儀注、職官、科第、兵家、疏諫、天文、占驗、六壬、太乙、奇門、曆法、軍占·地理總志、輿圖、名勝、山志、游覽、別志、人物志、外夷、釋部、神仙、醫書、卜筮、星命、相法、形家、農家、營造、文房、器玩、歲時、博古、清賞、服食、書畫、花木、鳥獸、數術、藝術、書目、國朝、掌故。

康熙間，又有王聞遠撰《孝慈堂書目》，分八十五類：

經總、易經、尚書、詩經、春秋、三禮、樂、論語、續語、爾雅、孝經、孟子、四書、字書、韻書、碑刻、書、小學、正史、通史、編年、雜史、史學、史傳記、政事職官、謚法、國璽篆刻、家禮、職掌、律令、時令、寶貨器用、酒茗食品、樹藝豢養、遺逸、仙佛、校書、方輿郡邑、行役、屬夷、川瀆、名山、陵寢、名勝、人物、文獻、譜牒、姓氏、年譜、書目、子總、儒家、道學、道家、墨家、法家、名家、縱橫家、兵家、農家、雜家、小說、天文、宅葬、陰陽、曆家、數學、卜筮、星命、相法、醫書、藝術家、畫錄、類書、詔誥、表奏、騷賦、詩文集、總詩文集、詩餘、詩文評、詞餘、釋經、釋氏著述、道經。

我們從上面這些書目，可以看出從明代中葉到清代初年這種特殊編目方法的發展。可是當我們在思考這種特殊編目方法的意義和學術目的時，最大的困擾是我們無法找到任何一點理論來幫助我們。或許在方法上會因此而有穿鑿附會之譏，可是單就現象上來看，這些書目的確完全符合前文所述的「標題目錄」的定義。

五、以標題目錄作為新的詮釋觀點

當然，這些書目和真正的西方圖書館學中的「標題目錄」還是有一段相當大的差距。前文已經述及，所謂「標題目錄」，是將任何一個研究主題都當做標題來列舉。因此，真正的標題目錄會是十分繁複的，它可能在數量上會成百上千，而且要求越精細越好，這樣才能達成藉標題法來彰顯研究主題的編目目的。可是上述這些書目，卻沒有辦法達成這樣的要求，它們在建立標題時，仍然無法跳脫「分類法」中「類」的觀念和影響，所以充其量，這些書目只是在原有的「類」的觀念上再盡力規劃，使之更加詳盡而已。所以，就分類的細密度上來說，上述這些書目仍是十分粗糙的。

若就分類的精審度上來說，它亦是有許多問題。許世瑛先生在批評《孝慈堂書目》時曾說：

> 鉅細不齊，廣窄同觀，或異學而同類，或學同而類分。⓰

其實這個批評，是可以適用於上述所有的書目的，這當然是不可否認的事實。例如說，我們若以標題目錄的觀點來看，《孝慈堂書目》中的「詩文集」、「總詩文集」、「詩文評」等類，包含都十

⓰ 見許世瑛先生撰《中國目錄學史》第十一章第六節。華岡出版有限公司，一九七七年五版，臺北市。

分廣泛，和其它的類別比起來，的確有「鉅細不齊，廣窄同觀」的弊病。可是我們若從另一個角度看，這些批評實際上都是從分類法的觀點來提出的。在分類法的觀念中，每一類都必須是一個學術類別，因此，每一類的鉅細廣窄必須大致一樣；至少也必須是在學術領域的質量上有其等同的比重。但是標題目錄的標準就不一樣了，用標題法規劃出來的標題，不是學術類別，而是研究主題，研究主題就沒有鉅細廣窄的困擾，因為研究主題本來就是大小不同的。

然則，提出這樣的疑慮，並不表示可以否定上述這些書目是用標題法的觀念編成的。歷來對於中國目錄學的研究，甚少從理論的角度去探討書目編輯體質的轉變，因此，明代中葉以來的這些特殊書目，往往只被視為是不守四分成法的一些特例而已。若是只有這樣，那麼我們便無法詮釋為何這些書目都是一級結構、都以研究主題為分類標準、都打破分類法中「縱向轄屬、橫向聯繫」原理的共同現象。所以，在中國目錄學的長程發展中，我們應該重新以「標題法」的觀點來詮釋這些書目。儘管這些書目並不十分成熟，疑慮也很多，可是我們若以「採用標題法的觀念所編成」的角度去看這些書目，應當是合理而具有意義的。

如果我們可以用這個新的觀點來審視明代中葉以至清代初期的書目，則至少我們可以肯定中國的目錄學在明代中期以後是在求新求變的。中國目錄學自唐代初期四分法被確立以來，遇到學術上有變化時，至多只是在類別上略加變動而已，對於四分法卻是一直謹守不變。由於書籍日漸增多，學術系統也逐漸衍生出更多的流派，所以這種謹守四分的作法，不但使中國的目錄學在理論上產生許多謬誤的現象，而且使得原本可以藉分類來判明的學術系統，也因之容易發生錯亂。

在唐代時這種困窘的情形尚未顯示出來。可是到了宋代以後，因為雕版印刷術的發明，書籍的生產量大幅增加；各家學說在可利用出版品以廣其傳的情況下，也促成了新興學門的不斷出現。此時再用四分法來分隸圖書，就捉襟見肘了。

生存於南北宋之交的鄭樵，大概是最早體會這個情形的學者。鄭樵在編纂《通志·藝文略》時，由於立意宏大，企圖收錄所有中國既有的書籍，因此，四分法當然不夠使用。所以鄭樵才會突破舊有的窠臼，把圖書規劃成為十二大類、一百五十五小類、二百八十四子目。只可惜鄭氏的分類法似乎並不成功，不但自己在使用時多有疑誤，後人想要學習也頗為不易。

可是正如前文所述，鄭氏所作所為是具有高度暗示性和啟發性的。元代的目錄學不盛，降至明代，目錄書籍便不時推陳出新，希望在面對日益繁多的書籍和學術門類時，可以有一些改良後的、新的分類法來相對應。

改良分類法有三個途徑：一是仍是採用四分法，可是在類目上大量增益；二是像鄭樵一樣，揚棄四分法，另外架構一套分類法；三是用一級分類法的觀念，成立標題目錄。

這三個方法，明代至清初的目錄學家都嘗試過。用第一種方法的，例如明代高儒的《百川書志》、焦竑的《國史經籍志》等；用第二種方法的，例如明代的《行人司書目》，分為典、經、史、子、文、雜六部，又如陳第的《世善堂藏書目錄》，分為經、四書、子、史、集、各家六部等。這兩種方法雖然也都是改良之道，可是相對於第三種標題目錄而言，它們到底還是沒有脫離中國歷代編輯書目的傳統觀念，還是以二級轄屬來統隸圖書。

而標題目錄的使用，其開展性和創新性，則遠非前兩種方法可以比擬的。舉例來說，宋代以後理學大盛，理學家們的重要論述，多集結成為「文集」傳世。這些文集若放在分類法中，毫無疑問的那列入集部的別集類。試想，以一個初學者而言，他若要研究宋明理學，除非他已事先熟知誰是宋明理學家，否則他如何從別集類中蒐羅到他所需要的資料？如果一個初學者必須先從他處熟知誰是宋明理學家，那麼，書目除了提供存佚、卷數的基本外圍資料外，它又有什麼作為讀書指引的功能？可是標題法卻不同，它只要設立一個「性理」類，初學者的基本閱讀書目就立刻呈現眼前，這就是標題法在使用上優越的地方。⑰因此，標題目錄開啟了中國目錄學的另一個新的領域，也為中國開啟了一條面對未來更複雜的學術環境的因應之道。只是中國歷來保守的習性、重視正統傳承的慣性思考法，使得標題目錄法一直無法取代四分法的地位。當然，標題目錄法在一開始時，並沒有完善的理論基礎去詮釋和支持這種編目方法，又沒有一套缺失較少的典範性書目做為後人學習的榜樣，遂使得它在草創期便失去了長期發展的契機。

清代康熙年以後，這種特殊的編目方法卻突然的消失了。我們當然無法推測出完整的理由，但是沒有理論系統去詮釋和支持這種編目方法，再加上乾隆年間編纂《四庫全書》時，清高宗明白詔示

⑰ 除非逐條檢閱書目中所登錄的所有書籍，否則光從分類表上來看，許多學術門類或某些著作的學術特性是無法顯露的，這是目錄學上不可避免的一種限制。可參見第九章的討論。

經、史、子、集四分法「實古今不易之法」，⓲應是它消失的主要原因。

⓲ 見該書卷首所附乾隆三十八年二月十一日聖諭：「朕意從來四庫書目以經、史、子、集為綱領，裒輯分儲，實古今不易之法。是書既遺編淵海，若準此以採擷所登，用廣石渠金匱之藏，較為有益。」

第八章　歷代書目在內容上的變異

一、由內容作為詮釋觀點

在目錄學的討論上，大多將書目的分類問題當做是最主要的重點。可是我們若從「書目的內容」來看，仍可看出歷代書目的變化。

所謂「書目的內容」，意指書目在編輯時所擇定的撰寫重點。我們若歸納歷代的書目，可以明顯的看出有以敘錄為重、以分類為重、以版本為重三種不同的方向。

面對這樣的差異，很容易以「體例」為觀察點，就將這個問題略過。可是我們不妨這樣來看：歷代書目在編輯時所擇定的撰寫重點，是和書籍的發展概況、和當代的學術觀念、和整體的社會風氣等問題是息息相關的。換言之，書目內容上的變化，不可能是無緣無故進行的，它必定是因緣著某些當代的迫切現象而改變。或許有些改變是不得不然，也或許有些改變只是為了迎合某些現象而已。

如果我們可以認可這樣的觀點，我們便可進而探究：到底是什麼原因造成了客觀條件的變化？它又如何使得書目在內容上起變化？若從這樣的觀點去思考，書目在內容上的變化，就不是一個體例上的單純問題了。因而這種變化，遂可以詮釋傳統目錄學內在本質上的演變。

二、以敘錄為主體的學術性書目

《別錄》是中國的第一部目錄學專著，無疑的，這部書目的體例和撰寫內容在中國的目錄學史上都有著宣示的作用。劉向以整整二十年的時間撰寫這部書目，至死都未完成。他主要的工作，在撰寫敘錄，而並不是在做分類。《漢書·藝文志》的總序說：

> 成帝時，以書頗散亡，使謁者陳農求遺書於天下。詔光祿大夫劉向校經傳、諸子、詩賦；步兵校尉任宏校兵書；太史令尹咸校數術；侍醫李柱國校方技。每一書已，向輒條其篇目，撮其指意，錄而奏之。

可見劉向在正式撰寫敘錄前，分類的方法已經被決定。劉向花了二十年的時間當然不可能只在做分類的工作，他全心在做的是撰寫敘錄，而且直到他死後，才由的兒子劉歆全部完成。❶

由劉向定下來的敘錄體例，包含了每書校讎時根據的底本及其來源、作者簡介、著書原委、內容略論、學派考索、以及該書的評

---

❶ 其他談論到劉向編書工作的典籍都並沒有提到多人校書的事，而都只是單純的記載劉向、劉歆父子編書目並撰寫敘錄。從現存的《別錄》佚文中，也只能看到劉向和更名為劉秀的劉歆的署名。可參見清姚振宗所輯的《七略別錄佚文》。鼎文書局版《校讎學系編》本，楊家駱主編，一九七七年十月，臺北市。

價等。❷這種撰寫的方式，較偏向於學術性的說明，而非圖書編目式的為書籍的類屬下定義。舉個最明顯的例子來看，在《漢書藝文志·詩賦略》中，第一類為屈原賦等二十家；第二類為陸賈賦等二十一家；第三類為孫卿賦等二十五家；第四類為雜賦十二家；第五類為歌詩二十八家。由於這一略中五類的小序都已失傳，所以我們事實上無法確知劉氏的分類觀點，但是從各類的內容觀之，除了第五類歌詩類是樂府詩歌的體裁，和賦的體裁完全不相同外，其它的四類的體裁卻都是賦，根本無法分辨其分類標準。於是後代學者只能從風格上去架構其分類的設定標準，例如民初的顧實即以「主抒情」、「主說辭」、「主效物」、「多雜詼諧」為此四類的分野。❸然而風格的不同，在後世和西方的圖書分類法上，是無法據之為標準而分隸於不同類的。也就是說，風格上的分類是屬於學術分類，而非管理上的圖書分類。所以，早在中國目錄學發展之初，它就明顯的與學術有緊密的關係，而非單純的圖書分類，這一點，可以說是中國目錄學的獨有特色。

三、以敘錄為主體的書目日漸式微

劉向去世時是西漢成帝綏和二年，（B.C. 7）在那個時代，書籍的數量有限，而劉氏父子就已經花了二十六年左右的時間才勉力

---

❷ 詳細的引述與說明，可以參見昌彼得先生所撰《中國目錄學》上篇第五章。文史哲出版社，一九八六年九月，臺北市。敘錄的原文可以參見❶所引的姚氏輯佚本。

❸ 見顧實撰《漢書藝文志講疏》，廣文書局，一九七〇年十一月，臺北市。

完成這項工作。不難想像，時代越向後推移就越困難，尤其是宋代印刷術大盛以後，書籍數量大增，私人藏書家所藏的書籍總卷數，輕易的即可超越《漢書·藝文志》所載。❹所以若要以劉氏父子所訂的標準體例來撰寫敘錄，幾乎已是不可能的事了。

從六朝到唐末五代以前的書目，除屬於史志書目的《隋書·經籍志》、《舊唐書·經籍志》以外，全部都已經失傳了。根據現有的記錄來看，這一時期的書目雖然眾多，可是大多沒有敘錄的體例。如果不把只為作者立傳，卻「不述作者之意」的《七志》包括在內的話，❺此一時期有敘錄體例的書目只有三部：隋代許善心的《七林》、唐代元行沖的《群書四部錄》、唐代毋煚的《古今書錄》。❻其中《群書四部錄》因為有敘錄的體例，所以卷數高達二百卷之多。毋煚所以會據該書目重編《古今書錄》，乃是因為他認為《群書四部錄》不但卷數太多，而且由於數量過大，以致敘錄的撰寫十分草率，❼所以毋煚將之節錄成為四十卷的《古今書錄》。到了五代時劉昫編《舊唐書·經籍志》時，雖然全部根據《古今書錄》以成書，但竟然又嫌《古今書錄》的敘錄是「卷軸繁多」，所

---

❹ 以南宋初年私人藏書家晁公武為例，晁氏所藏共約二萬四千五百卷，而《漢書·藝文志》所收只有一萬三千二百六十九卷。

❺ 《隋書·經籍志》序中說劉宋時王儉所編的《七志》是「不述作者之意，但於書名之下每立一傳」，所以這部書目不能算是有敘錄體例。

❻ 《隋書卷五十八·許善心傳》說：「善心倣阮孝緒《七緣》，更製《七林》，各為總敘，冠於篇首。又於部錄之下，明作者之意，區分其類例焉。」可見《七林》是有敘錄的。至於唐代的兩部書目有敘錄的體例，其說可參見《舊唐書·經籍志》的序，此不贅引。

❼ 參見《舊唐書·經籍志》序所引毋煚《古今書錄》序。

以「今並略之，但紀篇部」，❽成為一部只剩記載書名的清冊式書目而已。

從這個現象，已可看出在書籍數量增多後，要保持舊有的敘錄體例，已是一件十分不易的事。宋代以後書籍大量的發展，使得此事更為困難。宋代以後的書目存者尚多，在現存的書目中，我們若以清代官修的《四庫全書總目》為討論下限，則目前尚保有較接近劉氏父子敘錄體例的書目，為數已經不多。較常見的例如：

北宋官修　崇文總目
南宋晁公武　郡齋讀書志
南宋陳振孫　直齋書錄解題
元馬端臨　文獻通考·經籍考
明高儒　百川書志
清黃虞稷　千頃堂書目
清官修　四庫全書總目

其中《千頃堂書目》和《百川書志》還並不是每一條書名下都有敘錄，而且大多數的敘錄僅在介紹作者，嚴格說來，這樣已不能算是敘錄了。❾所以昌彼得先生對於這些宋代以後尚有敘錄體例的書目，認為以《漢書·藝文志》的敘錄體例為準則來看的話，事實上

❽ 參見《舊唐書·經籍志》序。
❾ 現今所看到的《崇文總目》是輯佚本，所以敘錄雖然也是闕陋不全，但是原書應是有完整敘錄的。

都已經是變體了。昌先生說這些書是：

> 大多僅撮述各書的大旨，而對於著者的生平，及書的得失，但偶爾述及之，也不能詳明，為例已不純。《四庫總目》雖說是一部相當詳贍的目錄，但其提要對於作者僅載爵里始末，而對於其立身行己則罕加敘述，已經稍變《別錄》的義例。❿

除了因為書籍數量太大而導致敘錄撰寫不易外，人為的因素也在南宋初年時推波助瀾，使敘錄的體例日漸式微。南宋初年鄭樵撰《通志》，在〈校讎略〉中，對於書目之中有敘錄的體例，並不完全同意。鄭氏在該略內「泛釋無義論」條中說：

> 古之編書，但標類而已，未嘗注解其著注者人之姓名耳。蓋經入經類，何必更言經；史入史類，何必更言史。但隨其凡目，則其書自顯。惟《隋志》於疑晦者則釋之，無疑晦者則以類舉。今《崇文總目》出新意，每書之下，必著說焉。據標類自見，何用更為之說？且為之說也，已自繁矣，何用一一說焉？至於無說者、或後書與前書不殊者，則強為之說，使人意怠。

鄭氏固然只否定「泛釋」的作法，並且認為書籍「有應釋者、有不應釋者」，而且在「書有應釋論」中說：

---

❿ 引書同❷。

> 蓋有應釋者，有不應釋者，不可執一概之論。按《唐志》有應釋者，而一概不釋，謂之簡；《崇文》有不應釋者，而一概釋之，謂之繁。今當觀其可不可。

可是事實上，鄭樵的說法，是將敘錄的功能只局限在作者和分類的說明上，而泯滅了敘錄最重要的學術性功能。每一部書固然可以「據標類自見」其類別，但是重要的是：每一書的內容大要、學術觀點及流派、該書的優劣得失等，要從何得見呢？

鄭樵的這項言論，卻得到了南宋高宗的賞識。他採納了鄭氏的意見，竟然把《崇文總目》中的敘錄全部刪除。這個作法對後代影響甚大，不但使原本已經撰寫不易的敘錄，得到了一個不被撰寫的好藉口，而《四庫全書總目》更是把書目之所以會失傳，都怪罪於沒有敘錄。該目〈目錄類〉，《崇文總目十二卷》條下詳細的說明了這件事：

> ……原本於每條之下具有論述，逮南宋時鄭樵作《通志》，始謂其文繁無用。紹興中，遂從而去其序釋。故晁公武《讀書志》、陳振孫《書錄解題》著錄皆云一卷，是刊除序釋之後，全本已不甚行，南宋諸家或不見其原書，故所記卷數各異也……厥後托克托作《宋史·藝文志》，紕漏顛倒，瑕隙百出，放諸史志中最為叢脞，即是高宗誤用樵言，刪除序釋之流弊也。宋人官私書目存於今者四家，晁氏、陳氏二目，諸家藉為考證之資，而尤袤《遂初堂書目》及此書，則若存若亡，幾希湮滅，是亦有說無說之明效矣。

其實《崇文總目》是否真的是因為沒有敘錄而「若存若亡」，尚應另當別論；但是宋代以後，書籍因印刷術的興起而大量發展，和人為的提倡，都是使敘錄體例不再盛行的主要原因。

四、以分類為主體的清冊性書目

但是上述這些書目，至少都還算是有敘錄的體例，還多少可以做為考證前代書籍的參考。除了這幾部書目以外，六朝以後大多數的書目，無論是公藏或是私撰，都只是一部排列書名的清冊而已，除了書名、作者、卷數外，不再列其它的資料。以現存的書目來說，例如：

南宋鄭樵　通志·藝文略
南宋尤袤　遂初堂書目
明官修　文淵閣書目
明官修　內閣藏書目錄
明曾守身等　行人司書目
明焦竑　國史經籍志
明祁承㸁　澹生堂藏書目錄
明陳第　世善堂藏書目錄
明晁瑮　寶文堂書目
明趙用賢　趙定宇書目
清錢謙益　絳雲樓書目

自宋代至清初，幾乎所有的書目都採用這種方式編輯，都是清冊式的。在書籍大量發展後，如果連官方都不願意花費大量的人力和物力去撰寫敘錄，那麼民間更是無法辦到的。

這種方式編輯的書目，既然無法在敘錄上完成學術性的要求，於是多將編輯的重點放在分類，所以這一個時期的書目在分類上的變化都很大。從宋代鄭樵在其《通志・藝文略》中創立第三級的子目，一直到明代只用一級分類法的「標題目錄」的大盛，⓫這其中所開創出來的類目不知凡幾。我們固然可以說這是因為書籍的數量大增，以至於需要藉分類來釐清書籍之間的系統關係，但是書目編輯的思考方向由撰寫敘錄轉而為類別的建立，應為主要原因之一。

我們可以舉明代書目為例，來說明這種新的編輯方向。現在姑且不論其是否採用四分法，明代書目中除了一些傳統的類別外，有許多類別是前代從所未見的。例如：

> 《文淵閣書目》有：國朝、性理、經濟、史附、史雜、子雜、雜附、法帖、畫譜等類。
>
> 《百川書志》有：蒙求、御記、史詠、文史、⓬野史、外史、小史、德行家、崇正家、政教家、隱家、格物家、翰墨家、衛生家、睿制詩、名臣詩、啟劄、對偶、唱和、紀跡等類。
>
> 《澹生堂藏書目錄》有：理學、國朝史、通史、約史、叢書

⓫ 有關明代標題目錄的問題，請參見第七章的論述。

⓬ 後世的書目中亦有「文史類」，所錄為文學批評類的書。但是此處的文史類，所錄只有一部書：《游文小史十三卷》。據《百川書志》所載敘錄，此書乃「彙編古今載籍託物興辭，採其事蹟，設為史傳，以文滑稽聖門者也」。此與後世之文史類名同而實異，故應視之為新創之類別。

等類。

《寶文堂書目》有：御製書、性理、四六、經濟、舉業等類。

《世善堂藏書目錄》有：二戴、輔道諸儒書、各家傳世名書、鑑選、明朝記載、稗史野史并雜記、語怪各書、史論、訓誡書、四譯載記、帝王文集、歷代大臣將相文集、緇流集、閨閣集、諸家詩文名選等類。

《白華樓書目》有：說學、外學、世學等類。

所以會存在這些新設立的類別，並非意指當代突然間創作出對等數量的各類型新書。固然明代有多於前代的各類型書籍的產生，但相對於新設立的類別，仍是略有差距。也就是說，明代新創作的書籍，若以前代的類別來編目的話，並非全部不能相融。但是傳統四分法中固有的類別，已逐漸不能因應書籍在質和量上的發展，已是一件不爭的事實了。這個現象至為明顯，明代的目錄學家豈會蒙昧不知？所以我們可以推斷，明代會有如此眾多的新類別，是明代的目錄學家企圖打破舊有的格局，將當代的書籍，以全新的分類標準加以重新歸類而造成的。

這是一個很值得注意的現象。明代的這些書目，雖然絕大多數是以相同的書籍為對象去分類的，但是往往同一部書，在不同的書目中會被隸入不同的類別之下，而且大多數的書目之間其類別又不重複。這就表示了明代諸目錄學家事實上是在努力的找尋一種新的編輯方向，以因應數量越來越多、類別也逐漸複雜的書籍。因此，如何創立新的類別以因應時勢，成為主要的思考方向。在此情況之下，撰寫學術性的敘錄已經是不可能的事了，編輯書目以分類為主要目標，理所當然的成為新的趨勢。

五、以敘述版刻為主體的商業性書目

可是就在以分類為主的清冊式書目發展到最高峰的時候，這個編輯方向又有了變化。原來明清之際，書籍市場上因宋元版逐漸難求，宋元版的書價也就逐漸昂貴了起來，大出版家和大藏書家爭相出高價購置宋元版書的情形也就時有所聞。原本只是因為宋元版的書籍較為可靠，但是久而久之，卻轉變成了一種類似古董買賣的風尚。這種重視宋元版的習氣，始於明末清初的錢謙益和毛晉。尤其是後者，不但是一位大藏書家，他的出版機構「汲古閣」更是不斷據宋元版重梓古書，在龐大出版量和行銷網的推動下，使得書籍市場為之丕變。葉德輝在《書林清話》中即說：

> 初不必偏於宋元也，自錢牧齋、毛子晉先後提倡宋元舊刻，季滄葦、徐傳是繼之。流於乾嘉，古刻愈稀，嗜書者眾，零篇斷葉，寶若球琳。蓋已成為一種漢石柴窯，雖殘碑破器，有不惜重貲以購者矣。⓭

這種風氣所產生的影響十分廣泛而且深遠，例如近代學者羅炳綿即

⓭ 見該書卷十〈藏書偏好宋元刻之癖〉條。世界書局，一九七四年十一月三版，臺北市。

以為「清代考據學的狂潮主要是接著這一線索而來」。⓮但並非所有的影響都是好的，至少在目錄學界就產生了負面的現象。由明清之際以迄清末，除了官修的《四庫全書總目》之外，可以說沒有一部書目是以正規的敘錄格式來編寫的；乾隆年間官方編修《四庫全書總目》時，乾隆皇帝又公然揭櫫四分法的正統性，以為「從來四庫書目，以經、史、子、集為綱領，裒輯分儲，實古今不易之法」，⓯以至正在實驗和發展中的以分類為主的「標題目錄法」又被扼殺了生命。分類法既不能發展，傳統的正規敘錄又不可能撰寫，於是新興的重視宋元版的風氣就配合了書目的撰寫方向，以版本為主的書目遂應運而生。

其實早在南宋，尤袤的《遂初堂書目》就有記載版本，不過那是一個很單純的形式，只記錄了某些書籍的各種版本。例如在「經總類」中有：

成都石刻九經論語孟子爾雅
杭本周易
舊監本尚書
京本毛詩
高麗本尚書
江西本九經

⓮ 見其所撰〈清初錢毛諸藏書家與學風考〉一文。載入其《清代學術論集》，食貨出版社，一九七八年四月，臺北市。

⓯ 見《四庫全書總目》前所附乾隆三十八年二月十一日上諭。

可是到了清代，意義就不一樣了。此一時期所發展出來的書目，除了記載各書的版本之外，還記載了刻版年代、版式、行款、是否有名家的手書題記或校閱手澤、以及歷代遞藏者所鈐印記等，只要是在形式上可見的一切特點，均詳細的加以登錄。舉例來說，清朝同治年間楊紹和在其編撰的《楹書隅錄》卷二內記載〈宋本新編方輿勝覽七十卷三十冊四函〉，所登錄的內容全文如下：

> 每半葉十四行，行二十三字，每段標題則以大字列於兩行之中。首載和甫自序、嘉熙己亥呂午序，咸淳二年福建轉運使司禁止麻沙書坊翻板榜文，末有咸淳丁卯穆子洙跋。丁卯為咸淳三年，當是丙寅開雕，至丁卯始成耳，《欽定天祿琳琅書目》所載正同。咸淳距宋亡僅十餘年，間有流傳印本紙色深黃者，多定為元刊，其實即此板也。有「汪氏」印。⑯

觀其全文，並不敘述該書的內容大要，也不評其得失優劣，連該書的作者為宋代的祝穆，都未交待清楚。撰寫的重點，全部放在版本的考訂上，幾乎可以說是只重其外形，而不重其學術內容。楊紹和是山東聊城海源閣楊以增的兒子，是清代四大藏書家之一，尚且大致以此類型為寫作方向，其它以販售為主要目的所編的書目，離學術性的敘錄也就越來越遠了。

當然，許多書目也和《楹書隅錄》一樣，偶而也會對書籍的大要略加說明和評騭，並非全部以記載版本為唯一內容，這是十分難

---

⑯ 據廣文書局〈書目叢編〉本。一九六七年七月，臺北市。

以斷然區隔的。然而大致以版本為主要方向所編撰的書目，在清代的確成為一項特色。較為常見的例如有：

錢　增	讀書敏求記
黃丕烈	蕘圃藏書題識
錢吉泰	曝書雜記
潘祖蔭	滂喜齋藏書記
楊紹和	楹書隅錄
繆荃孫	藝風藏書記
莫友芝	宋元舊本書經眼錄、郘亭知見傳本書目
王文進	文祿堂訪書記
于敏中等	天祿琳琅書目
陸心源	皕宋樓藏書志、儀顧堂題跋
鄧邦述	群碧樓善本書目
孫星衍	平津館鑒藏書籍記、廉石居藏書記
阮　元	文選樓藏書記
傅增湘	雙鑑樓善本書目

同樣是記載版本的書目，但宋代尤袤的《遂初堂書目》和清代的各家版本書目在意義上卻有很大的不同。前者重視的是因版本不同而引發內容不同的可能性，是以學術為導向的；但是後者，卻只重視各版本之間的形式上的差異，是以古董典藏或商品販售為導向的。在這樣的風氣下，藏書之人並非一定是讀書之人，所以較少人撰寫學術性的正統敘錄；而藏書之人亦不一定會深究目錄之學，所

以各書目的分類上講究的也不多。因而乾隆以降的各書目中，分類方法值得探討的也幾乎沒有，大多是承襲前代，聊備一格而已。

六、書目在內容上的衰敗走向

因此，我們若從歷代書目的內容來看，目錄學由漢代以學術性的敘錄為主要撰寫內容，一變而為由六朝至明代清冊式的重視分類時期，再變而為清代以版本為主的版本目錄時期。若純就學術立場來看，這樣的演變是使目錄學離它最基本的「辨彰學術，考鏡源流」的功能越來越遠。雖說清朝乾隆年間所修的《四庫全書總目》將一萬餘部的書籍以學術性的體例撰寫了敘錄，⑰但是由於編輯時主觀的教化標準太過強烈，並不能普遍反應全國的書籍概況；再加上不能接納明代以來目錄學家大力改革的分類法，以致又無法在分類上表現出書籍類別上的進展，故而它也只能在有限度的範圍內，成為代表中國傳統目錄學後期中的一部佳作而已，對於振衰起弊，重新架構目錄學的學術功能，是沒有多大作用的。

準此而論，中國的傳統目錄學毋寧說是逐漸走向衰敗之路的。當今研究目錄學時，即應以這條發展路線為鑑戒，不要使目錄學變成書籍形式上的記錄簿，而應回復到學術類別和類別演變的探討，以之歸納出中國學術史的基本架構，方不致讓目錄學逐漸脫離學術領域，走上帳簿式的死胡同中。

---

⑰　《四庫全書》共著錄書籍三千四百五十七部，存目則有六千七百六十六部，合計共有一萬多部。這些書籍在《四庫全書總目》中都是有敘錄的。

第九章　目錄學在先天上的限制

一、目錄學的客觀呈現功能

客觀存在的圖書文獻，是歷代學術研究者詮釋的對象。所以記錄圖書文獻的各公私書目，就成為學術研究者直接依據的資料。

我們在使用書目時，常會有一個先入為主的觀念，認為書目是一項十分客觀的資料。就如同圖書文獻是客觀存在一樣，記錄圖書文獻的書目也應該是客觀存在的。

這樣的觀念會誤導我們產生一些在使用書目時的盲點。我們若認為書目是客觀存在的資料，於是在邏輯上可以這樣認定：一、書目中所呈現的資料，是代表當代的書籍；二、從書目中所呈現的資料，可以分析其時或某地藏書的特色。

這個問題可以從兩個不同的方向去思考，一個是：書目是否真的完全客觀？它是否有主觀存在的可能？另一個是：我們是否可以從反面去討論，看看書目是否真的可以代表當代書籍，並且可以由書目中分析出藏書的特色？

這個問題的兩個不同思考方向，其實是可以互證的，只要其中一個得證，另一個便自然可以得證。因此，我們現在就單從反方向

去思考，看看書目是否可以代表當代書籍，並由之分析其特色。❶

二、由史志書目作為觀察點

私家書目的編纂，總是有其有限性。或受個人所好的限制，或受自身財力的局限，所收錄的範圍都不甚完備。有些私人編纂的書目，雖然立志以天下古今所有的圖書文獻為己任，如宋代鄭樵的《通志・藝文略》，或是元代馬端臨的《文獻通考・經籍考》等，但是畢竟是少數，不能代表所有書目的特性，所以若要舉例以討論書目「可否代表當代書籍」的特性，仍需要由史志書目入手。

歷代的公私書目中，史志書目算是最「正式」的書目了。史志書目既然列載於史書之中，做為代表該朝代所有圖籍文獻的「藝文志」，當然就應該如同載錄它的那本史書一樣，可以做為後代研究該朝代的可靠資料。所以在理論上，它無論是公信力或是載錄範疇的涵蓋性，都不是私家書目可以比擬的。

在二十六史中，有「藝文志」或「經籍志」的共有七種，依序是：《漢書・藝文志》、《隋書・經籍志》、《舊唐書・經籍志》、《新唐書・藝文志》、《宋史・藝文志》、《明史・藝文志》、《清史・藝文志》。❷雖然在比例上不算多，可是我們所持

---

❶ 書目錄是否為全然的客觀，或是有其強烈的主觀性，是一個可以另外再詳加討論的問題。本章對此一問題只相對的提出概念，其討論在第一章的緒論有述及，可參見。

❷ 此處所提出討論的七部藝文志，是不包括後人所追錄的補志，如清代補志之風大盛之後陸續出現的《遼史・藝文志》、《金史・藝文志》、《元史・藝文志》。又《清史・藝文志》依纂修者的不同，有朱師徹、彭國棟

的觀點，應要突破各史志書目所冠的朝代的限制。亦即這些書目雖有漢、隋、唐、宋、明、清的朝代名稱，但是歷代書籍的傳承卻是不分朝代的。官方的藏書在朝代綿延之間，固然會因人為或自然的因素而損毀；但是改朝換代之際，卻又未必會國毀書亡。所以我們對於這些史志書目，不妨以「每隔若干年統計一次」的觀點來看待它們，如此一來，要研究各代的圖籍資料，這些史志書目仍是重要依據。

然而這並不表示史志書目是完全可信賴的，我們在使用史志書目時，應該先關心的問題是：史志書目的成書過程如何？它的內容是否會受到其成書過程的影響？

三、史志書目的闕略本質

我們若從史志書目的成書過程來看，會發現這些書目大多是極為闕略的。現在先將這些書目的成書過程略述於後：❸

《漢書・藝文志》是依據西漢末年劉向、劉歆父子所編的《七略》，將百分之九十的敘錄刪削後所抄成的。《隋書・經籍志》的前身是《五代史志》，亦即原為梁、陳、北齊、北周、隋五代的藝文志，來合併置入《隋書》中而成。《舊唐書・經籍志》的來源甚早，唐玄宗時元行沖編成《群書四部錄》二百卷，數年後，毋煚將

兩種不同的版本，本章的論述，乃以朱師徹所編纂的為討論對象。

❸ 有關各史志書目的成書過程，幾乎所有的目錄學史專著都有詳細的討論。本章為銜接上下文，茲簡單略加說明，所有應徵引的原始資料，此處不再贅引。

之精簡修訂為《古今書錄》四十卷，而《舊唐書・經籍志》則是將《古今書錄》的敘錄全部刪除而抄成的。《新唐書・藝文志》則是宋代的歐陽修將《舊唐書・經籍志》增訂而成。至於《宋史・藝文志》的成書就比較複雜，原來宋代的國史曾經多次的纂修：第一次是北宋仁宗時，修太祖、太宗、真宗三朝的國史，史稱《三朝國史》；第二次是北宋神宗時，修仁宗、英宗朝的《兩朝國史》，第三次是南宋孝宗時，修神宗、哲宗、徽宗、欽宗的《四朝國史》。這些國史都有藝文志，習慣上稱之為《三朝史志》、《兩朝史志》、《四朝史志》。此外在南宋孝宗時，又曾編成《中興館閣書目》；寧宗時，又有《中興館閣續書目》，而後兩者又合成為《中興國史藝文志》。到了元代修《宋史》時，主事者脫脫（或作托克托）遂將《三朝史志》、《兩朝史志》、《四朝史志》、《中興國史藝文志》合而為一，編成了《宋史・藝文志》。《明史・藝文志》是據《千頃堂書目》刪削而成。❹《清史・藝文志》則是由朱師徹改訂而成。

對於這些史志書目，我們可以從縱向的時間涵蓋性和橫向的範圍涵蓋性兩方面來審視。前者意指一部書目所涵蓋的年代有多長，後者意指它涵蓋的書籍種類有多少。

關於縱向的時間涵蓋性：《七略》的成書年代是西漢末年，全書收錄書籍共一萬三千二百一十九卷；東漢時班固編纂《漢書・藝

---

❹ 《千頃堂書目》共載明代書籍資料約一萬五千條，《明史・藝文志》乃據此刪訂，只餘四千六百三十三條，刪去約三分之二。可參見周彥文撰《千頃堂書目研究》，一九八五年東吳大學中文研究所博士論文。

文志》，是將《七略》全部抄錄，共收書籍一萬三千二百六十九卷，其間的變動十分微小。❺可知《漢書·藝文志》最多只是代表西漢末年以前的圖書資料，而不能代表整個漢代。

既然自《漢書》以後，在正史的志書中編入「藝文志」的體例已開；再加上「藝文志」在斷代史書中一向允許以通代體例出現，所以我們應該可以對漢代以後的史書有較嚴格的要求。可是漢代以後的史書，一直要到《隋書》時，才有經籍志出現。前文曾經說過，我們應該用「每隔若干年統計一次」的觀念來看史志書目，而且史志書目即令在斷代史中，仍可以通代的體例呈現。據此，《隋書·經籍志》理應可以涵括東漢至隋代之間所有的圖書資料。可是事實並非如此，《隋書·牛弘傳》中記載了文獻學界有名的「圖書五厄」，除了第一厄秦火之外，第二厄王莽末年赤眉之亂、第三厄董卓遷都、第四厄永嘉之亂，都發生在這段時間之內。故東漢以來的國家藏書，在這幾次災難中大都已經亡佚了。❻因此，《隋書·經籍志》中的圖書資料，只有東晉以下的藏書。包含列為附錄的佛、道經在內，據該志的統計，總卷數只有五萬六千八百八十一卷

---

❺ 兩者之間的差異，可參見民初顧實撰《漢書藝文志論疏》。臺北市：廣文書局，一九七〇年十一月初版。

❻ 《隋書·經籍志》雖然原稱《五代史志》，收錄資料包含了梁代，可是圖書第五厄正是梁代的侯景之亂，南朝好不容易蒐集而來的圖書，又全部損毀了。所以唐代魏徵在編《隋書·經籍志》時，事實上書庫中並沒有梁代的舊藏，他只能從梁代的各種書目中去轉錄梁代有那些圖書。現今《隋書·經籍志》中的小註中有許多標明「梁有」，可是「今亡」的書，就是這樣來的。

而已，而此時上距《七略》的成書，已有約六百五十年之久。❼可見《隋書·經籍志》所錄的資料，應該算是十分闕漏；以至於東漢至東晉之間的圖書，無法從《隋書·經籍志》中全盤得知。

梁朝侯景之亂的災厄，使得南朝藏書毀於一旦。隋代牛弘上疏求聚書，頗有所得。❽但是煬帝大業末年的「廣陵之亂」，隋代所聚之書又亡毀，明代胡應麟將之列為「圖書第六厄」；❾再加上唐初搬運圖書不慎，將隋代燼餘殘書又沒入魚腹。❿因此唐代初年時，國家書庫中幾乎可謂空無一物。而《隋書·經籍志》中所有的資料，事實上都只是紙面資料的記錄，許多書籍，都已無從考索了。

唐代初年又大聚天下圖書，到了玄宗開元年間，遂有《群書四部錄》和《古今書錄》的編纂。五代時劉煦編《舊唐書·經籍志》，既然全部都抄錄《古今書錄》，它所呈現的資料當就只有到唐代開元年間為止。所以《舊唐書·經籍志》在書籍的縱向涵蓋性上，是十分不足的。再加上它把《古今書錄》原有的敘錄都全部刪除，遂使得在唐代開元年以前所撰寫的書籍，連最基本的簡介資料

---

❼ 據《唐會要》卷六十三所載，《五代史志》乃成書於唐高宗顯慶元年，（西元六五六年）上距王莽時代約六百五十年。

❽ 牛弘所聚書後由許善心編為《七林》，可惜該目已經失傳，不知其詳。

❾ 見胡氏《少室山房筆叢》卷一。又《舊唐書·經籍志》序亦云：「煬皇好學，喜聚逸書，而隋世簡編最為博洽。及大業之季，喪失者多。」

❿ 《新唐書·藝文志》序說：「初，隋嘉則殿書三十七萬卷，至武德初，有書八萬卷，重複相糅。王世充平，得隋舊書八千餘卷，太府卿宋遵貴監運東都，浮舟泝河，西致京師；經砥柱，舟覆，盡亡其書。」

也因之蕩然無存。《新唐書・藝文志》雖然補足了開元年至唐末的圖書資料，可是仿照《舊唐書・經籍志》的先例，也不撰敘錄，有唐一代的著述，一旦失傳，便無線索可尋。而且史志書目此後遂相沿成習，不再撰寫敘錄，若想要得到基本的書籍內容介紹，只能靠宋代以後的私家書目了。

《宋史・藝文志》是由數部書目合編而成的。北宋末年的靖康之難固然使得中原的書籍「淪喪」，可是除了因兵燹、運送等不可避免的損失外，事實上這些書籍並沒有完全亡佚，仍然有一部分存世，只是換成金朝保存而已。南宋時官府又再聚書，理宗紹定年間宮廷曾經失火，明代胡應麟將之列為「圖書第十厄」，可是實際上有多少書籍被毀，並不明確。⓫但是在宋元之際，書籍並沒有因改朝換代而損毀，元朝就曾經將宋代臨安府的藏書全部由海運北送大都。⓬可見元代編《宋史・藝文志》時，其條件是比其他朝代好得太多了。雖然該志所徵引的幾部書目，其下限只到南宋寧宗，所以理宗、度宗時期約有七十多年的資料尚闕；而且後人又多認為該志多有隸類不當、收錄重複的不妥現象，⓭但是若除去隸類上的缺失和收錄上的嚴謹性不足外，單就資料的完備性來說，《宋史・藝文

⓫ 見《少室山房筆叢》卷一。又馬端臨《文獻通考・經籍考》卷一總敘中也只是說：「紹定辛卯火災，書多闕。」確切的損失數量實已不可考。

⓬ 《元史》卷九載世祖至元十三年十月，「兩浙宣撫使焦友直以臨安經籍圖書、陰陽祕書來上」；十五年四月又「遣使至杭州等處，取在官書籍、版刻至京師」。所以元代開國時，舊有書籍應該仍然大多保留著。

⓭ 最具代表性的是《四庫全書總目》，其史部目錄類《崇文總目》條中評論說：「《宋史・藝文志》紕漏顛倒，瑕隙百出，於諸史志中最為叢脞。」

志》還算是諸史志中較優者。

《明史·藝文志》和《清史·藝文志》所做最大的改變，是將史志書目由通代變成了斷代。當然書籍數量大增後，這也是無可避免的事，只是史志書目中原本可以連貫考察書籍發展和存佚情形的功能，不得不拱手讓給了私家書目或其他官修書目。而且，這兩部史志書目也並不完備，就《明史·藝文志》來說，明代的圖書資料以黃虞稷所編的私家書目《千頃堂書目》最為完備，可是《明史·藝文志》所錄，篇幅只有《千頃堂書目》的三分之一。《清史·藝文志》也是一樣的情況，朱師徹編訂《清史·藝文志》時，所錄四部書共九千六百三十三種，十三萬八千零七十八卷。近代人武作成針對朱師徹的本子進行重整，竟然增補四部書一萬零四百三十八種，九萬三千七百七十二卷。就種數來說，比原書還多。⓮可見這兩部史志書目雖然已經改為較為簡易的斷代書目，可是在資料的收錄上，所闕仍甚多，仍是不足為憑。

據此，在縱向的時間涵蓋性而言，除了屢屢遭人詬病的《宋史·藝文志》之外，其他的史志書目並不足以代表當代的書籍。

我們若由橫向的範圍涵蓋性而言，這其實已經是一個眾所周知的問題了。只要劃分清楚「全國圖書總目」和「國家藏書目錄」的分野，就不難認清史志書目的本質。前者指某一時期全國的圖書資料，包括官方的、民間的所有出版品，甚至包括尚未出版的所有手稿本在內；而後者，則只限於國家——通常只是指宮廷而已——書

⓮ 見《清史稿·藝文志及補編》，北京中華書局，一九八二年四月。

庫內的藏書。[15]很明顯的，前者必定包羅萬象，而後者，則只有符合教化、符合統治者利益、符合「上意」的書籍，才會被納入收藏。而據上文的討論，可知史志書目絕大多數是由「國家藏書目錄」而來的，其範圍的涵蓋性，不言可喻。[16]

四、書目無法代表當代書籍

所以，若以史志書目作為觀察點來看，我們竟然發現在目錄學中最「正統」的史志書目，也並不能代表當代的書籍。它只能在有限的範圍內，展現官府內的藏書。這些藏書由於是被選擇過的，所以我們在史志書目中絕對看不到反教化的著作，看不到商業、科技的發展，看不到流行於民間的戲劇和小說等。而更重要的是，書目畢竟無法突破資料的限制，每位編輯書目的學者，都只在自己可以掌握、甚至只在自己熟悉的範圍內作業。所以在中國歷代的書目中要找到一部網羅古今所有的文獻資料，並且具有「全國圖書總目」的性質的書目，可以說是難上加難。而事實上，要求要有這樣的一部書目，幾乎也是不可能的事。書籍數量無止盡的增加，書籍種類快速的成長，這都不是一部書目可以完全負擔得了的。所以書目無法完全代表當代的書籍，這只能說是目錄學上先天的限制。

---

[15] 呂紹虞先生所撰的《中國目錄學史稿》第二章中有專文討論此兩者的分野。該書在大陸有出版，一九八六年臺北市丹青圖書公司亦有出版。呂先生並主張中國的第一部全國圖書總目是劉宋時期王儉所編的《七志》。

[16] 此說可參見本書第一章緒論中的討論。

五、書目量化了圖書資料

我們現在再從第二個角度，來看是否可以由書目中分析出其時或某地藏書的特色。

除史志書目、專科目錄、特種目錄等較特殊的書目外，一般性的書目大都是以配合書庫藏書為主要編輯目的。例如目錄學的始祖劉氏父子所編的《別錄》、《七略》，即是內府書庫的藏書目錄；後代的書目如《崇文總目》、《郡齋讀書志》、《文淵閣書目》等，無一不是以某一特定書庫為編輯對象。

編目的目的除了便於管理外，更是要藉目錄來彰顯此書庫所藏書籍的各種類別。因此，分類就成了編目中最重要的工作之一。可是分類同時也造成了形式上的限制，它使得每一部書都必須進入某一個類的領域概念中。也就是說，每一部書必須以它的性質或體裁，去隸屬於某一個特定的類別。

這種作法是無可避免的，而這種作法卻也泯滅了書籍之間的學術關聯性。因為分類事實上是量化了書籍，它告訴了我們每一類書籍的數量，但是卻無法告訴我們每一部書的內容到底在討論些什麼。尤其是以體裁為分類標準的類別，如「類書類」、「別集類」等，更是無法看出該類內各書籍的學術範疇。⓱因此，從量化了的

⓱ 這個問題並不完全是單純的崇質或依體的差異。照理論上來說，如果有一部書目是完全以崇質觀點來編的，那麼或許可以比較容易看出每一部書的學術範疇。清代的章學誠在《校讎通義》中所倡言的韓愈當入儒家、柳宗元當入名家、蘇軾當入縱橫家、王安石當入禮家等「考鏡源流」的觀念，其實就是崇質觀。但是以體裁來分類的必要性仍是無法解決，例如《史

書目中想要看出該書庫的典藏特色，是十分困難的。

六、以日本九州大學文學部書庫的藏書為範例

現在試舉一例來說明。為了避免有先入為主的影響，我們選擇以國內學者較不熟悉的日本九州大學文學部書庫為例來說明。

日本九州大學歷史悠久，收藏中國古籍十分豐富。就文學部書庫所藏而論，清末以前（以西元一九一一年為下限）在中國出版的古籍共約有一千四百部；其中明版約佔十分之一強，有一百四十餘部；其餘皆為清版。[18]

雖然文學部書庫所藏並沒有宋元版書籍，但是各個圖書館的功能各不相同，就一個不以收藏善本古籍為職志的大學學部圖書館而言，能有如此眾多的明清版藏書，已是十分不易；若再加上古版朝鮮刻本、和刻本，以及近代的出版書籍，這個圖書館的藏書已可謂是洋洋大觀了。

現在以《四庫全書總目》的分類法來類別這些中國古籍，它的分類和種數如下表：

記》和《資治通鑑》，如果不以體裁來分，而只以「正史書」來分類，是無法看出這兩部書的差異性的。而這種先天的矛盾，似乎無法避免。

[18] 此處所記之統計數字，是以西元一九九二年九月初起，到一九九三年二月底為止，筆者在日本九州大學文學部書庫所見的圖書為限。由於該書庫是供九州大學文學部學生開放使用的圖書館，除少數貴重書外，所有圖書均可自由外借。因此，實際的藏書數量當不止此數，必有若干被外借的圖書是未得見的。

部名	類名	種數
經部	易	6
	書	11
	詩	23
	禮	13
	春秋	7
	五經總義	27
	四書	12
	小學	37
史部	正史	27
	編年	30
	紀事本末	6
	別史	29
	雜史	18
	詔令奏議	10
	傳記	39
	史鈔	1
	載記	2
	時令	1
	地理	417
	職官	3
	政書	25
	目錄	46
	史評	7

部名	類名	種數
子部	儒家	35
	兵家	4
	法家	4
	醫家	1
	天文算法	2
	藝術	6
	譜錄	4
	雜家	115
	類書	22
	小說家	28
	釋家	10
	道家	13
集部	楚辭	9
	別集	186
	總集	57
	詩文評	13
	詞曲	24

以這個分類表來看，史部書籍共 661 種，所佔分量最多；其次是集部書，共 289 種，佔第二位；再次是子部書，共 244 種，佔第三位；最少的是經部書籍，只有 136 種。若以類別而論，地理類的

書籍最多，共 417 種；其次是別集類，共 186 種；再次是雜家類，共 115 種；其餘的都在數十種以下。⓳

七、分類統計表與藏書特質間的認知問題

可是這個統計數字並不能代表，也不能真實呈現出九州大學文學部師生使用這些圖書的情形。例如說，佔了最大藏書比例的是地理類中的方志，但這並不表示文學部師生最常使用方志方面的書籍；而方志的研究，也非九州大學文學部的擅場。根據這些方志書首所鈐印的購藏章，它們絕大部分都是在昭和元年到昭和二十年（西元一九二六年到一九四五年）之間被購入九州大學的，其中又以昭和十年左右購入的最多。這一段時間，正是日本帝國侵華最積極的時期。購藏方志以瞭解中國的地理要衝和風土民情，是日本軍閥侵華手段之一。⓴所以與其說這批方志是學術上的收藏，倒不如說是歷史上的遺產。至少，這些方志藏書和文學部各系所當前的研究方向是毫不相關的。

而相對的，這個分類統計表也不能表現出這座書庫的藏書特色。以中哲研究所為例，該所為研究宋明理學之重鎮，並旁及先秦諸子。照理說，我們應該在這份藏書目錄上可以看到許多隸於子部、義理方面的書籍。但是目錄中的子部儒家類藏書，只有 35

⓳ 上表所列的種類，都已扣除了重複的書籍。此處所謂的重複，意指相同版本的同一部書；若版本不同，仍然分別條列之。

⓴ 此一史實的例證很多，如臺北市的國立故宮博物院圖書館藏有一批約一千種的方志，即為抗日戰爭結束時，交通部向侵華日軍接收，後由國防研究院、故宮博物院遞藏的。

種；雜家類雖有 115 種，但是若以《四庫全書總目》的分類標準來判別，屬於諸子學的「雜學之屬」的書籍尚不到二十種。㉑乍看之下，似乎這座書庫在上述學術範疇內的藏書十分貧乏，可是實情並非如此。事實上，它典藏了很多先秦諸子和宋明理學家的著作集，這些著作集對於該研究所的研究工作有十分重要的影響。然而，在目錄的分類上，這些書籍是隱含在雜家類的雜編之屬——即叢書，以及集部的別集類或總集類中。以集部別集類為例，單是朱熹的著作就有七種：

晦庵先生朱文公文集 100 卷續集 10 卷別集 10 卷　明天順 4 年（1460）刊本

朱子文集 100 卷續集 11 卷別集 10 卷　明嘉靖 11 年（1532）刊本

晦庵先生朱文公續集 10 卷　明刊本

晦庵先生朱文公文集 100 卷　清康熙 27 年（1688）刊本

朱子文集 100 卷續集 11 卷別集 10 卷　清同治 12 年（1873）刊本

朱子全書 66 卷　清光緒 10 年（1884）刊本

朱子遺書 12 卷　清刊本

王守仁的著作則有九種：

㉑ 該書目子部雜家類下分為雜學、雜考、雜說、雜品、雜纂、雜編六個子目，其中諸子之學屬於雜學目。

陽明先生文錄 4 卷詩錄 4 卷　明嘉靖 9 年（1530）刊本
陽明先生文錄 5 卷外集 9 卷別錄 10 卷　明嘉靖 15 年（1536）刊本
王文成公文選 8 卷　明崇禎 6 年（1633）刊本
陽明先生正錄 5 卷別錄 7 卷　明崇禎 7 年（1634）刊本
陽明先生集要三編三種 15 卷　明崇禎 8 年（1635）刊本
王陽明先生全集 22 卷　清康熙 19 年（1680）刊本
王陽明先生文鈔 20 卷　清康熙 28 年（1689）刊本
王陽明先生全集 16 卷　清道光 6 年（1826）刊本
王文成公全書 38 卷　清刊本

其它宋明理學家的著作更是十分繁富，在集部別集類 186 種書籍中，有關宋明理學家的文集大約佔一半以上，蒐羅不可謂不完備。可是若非熟知各部書籍的內容，單從目錄的分類上來看，是無法窺知這項藏書特色的。

從另一個角度來看，這項分類統計，以正統目錄學的方法量化了該書庫的藏書。它提供了一項數量上的依據，可以使漢學的研究者窺知九州大學漢籍藏書的類別和種數。可是類別和種數，和「宋明理學的研究重鎮」的典藏特色是無法相互觀測的，這就是目錄學上的另一大限制。

八、從無處看有的觀念

綜合上面的討論，我們已可很明白的看出目錄學在先天上的限制。不論是代表當代的圖書資料，或是分析典藏特色，書目都有其有限性。

討論這項議題的目的，並不是要否定目錄學的功能，甚或貶低目錄學的學術價值。可是這項討論，卻關係到目錄學的基本觀念及其研究方法。它強烈顯示了書目中所呈現的書籍資料並非全然的可以代表當代，所以相對而論，凡是書目中所不曾出現過的書籍類型，或是在歷代書目中偶而出現一次的類別，不一定就是不存在或不興盛的學門。而考察每一部書目背後所隱含的典藏特色，更是不能從分類的表象上著手。從無處看有，才是全方位研究目錄學的方法。

第十章　結　論

一、目錄學理論的架構

在目錄學的研究領域中，理論的架構是最迫切需要，但卻又是最困難的一件事。因為如果我們只把目錄學當作是一門工具性的學科來看待，那麼它便沒有什麼理論可言，頂多只有編目方法的討論而已；可是我們若把目錄學當成一門具有可詮釋意義的學科來看待，它當然就有理論可談。而困難所在是我們必需要從許多條列式的書目中，去把理論逐漸抽離出來。

歷代當然也有目錄學的理論傳世，例如宋代鄭樵的《通志·校讎略》、清代章學誠的《校讎通義》等，都是不朽的鉅作。前者對於分類的強調，後者提出「即器明道，道器合一」的觀點，對於後人都有極大的啟發。❶可是這些著作，到底都已經年代久遠，無論是學術環境或寫作方法，和現代的研究模式都相去甚多。所以我們現在應該要在前人的基礎上，再更進一步的架構出合於現代的目錄學理論。❷

---

❶ 章氏之說，見該書內篇二，〈補校漢藝文志〉條。

❷ 鄭、章二氏的理論，前人的論述很多，所以本書不再另立專章討論。凡有

要架構目錄學的理論，就先要給目錄學一個定位。也就是說，我們如何來看待目錄學。在傳統的觀念中，目錄學是一門客觀的學科，它只登錄各朝代的圖書資料；它的作用，只是查閱各書籍的存佚和類別。如果僅止於此，目錄學的功用就十分渺小。可是如果我們可以肯定目錄學是一門主觀性的學科，是由編者在有意識的情況下，透過某些學術觀念，並有選擇性的去編輯書目，那麼目錄學就變成了呈現學術風貌的史料。更進一步的說，目錄學如果是主觀的詮釋性史料，那麼所有的分類就也具有了更深一層的意義，它們不再只是書籍的分類而已，更是學術的分類。本書第一章緒論，就是在探討這個問題，這也是本書所有理論的基礎。給了目錄學這樣的定位，所有的理論才可以此為根源來展開。

書目的結構以分類為主體，所以第二章先討論中國目錄學中分類的特性。中國歷代書目中有一個很奇特的現象，就是所有的書目，除非刻意抄襲，否則所有的編目者都各自為政，自己設立自己心目中理想的分類法。因此二千年來的書目，分類法是千奇百怪，無所不有。這個現象更加強表現了中國目錄學和學術系統的關係，可是這個特性也造成歷代的書目和現實脫節，使得書目和館藏成為兩個不同的概念領域，這是和近代或西方在思考方向上有很大差距的地方。❸

可資佐證之處，本書各篇都已分別徵引。

❸ 中國的書目編輯者當然也多是針對某一個館藏來編書目，但是書目的編輯理念是學術分類，而不是優先考慮供人使用圖書，這就是此處所謂不同概念領域的意義。

分類的特性既明，於是進入分類法中探求其原理。先從外緣入手，撰第三章，討論四分法的定義問題。自隋、唐以來，四分法在中國的目錄學界便被視為正統，至今屹立不倒。甚至在一般人的觀念中，經史子集四字，就代表了中國所有的古典文獻。可是自隋、唐以來，四分法卻也一直沒有明確的定義，以致在不變的「四分法」的概念之下，其分類卻是隨時可以浮動變異。中國歷代的編目者恰好利用這個現象，塑造了藉類別來顯示學門興盛衰亡或開合刪併的功能。因此，四分法沒有明確的定義到底是功是過，端看從怎樣的詮釋角度去看待它，從編目的角度看，它造成了書籍隸類上的不便；但從學術流變的角度來看，它卻是一個最佳的觀察點。

再次撰四、五、六章，進入分類法內在理論的探求。第四章論分類之結構問題。分類並不是以書籍為思考基點做單向的歸納工作，它應是一種有機性的組合。這種組合分成縱向和橫向兩個不同的表現方式：縱向的結構乃藉著類別之間的相互排斥性，以顯示各種書籍的屬性。❹書目的使用者只要明瞭各類別的定義，便可知曉類下諸書的性質甚或體裁，此即縱向之轄屬性。除此之外，各類之間也並非無意義的獨立個體。以四分法為例，經部所屬的各個類別，共同組成了「經」的意義；史、子、集所屬的各個類別，也分別共同組成了史、子、集的意義。而經、史、子、集又再組合成當代學術的全貌，這就是橫向的聯繫性。這種縱向轄屬，橫向聯繫的

❹ 所謂排斥性，指某書若隸入甲類，便不可入乙類；同理，若入乙類。便不可入甲類。但是明代以後有互著例。則一書可同時入兩類。此處只限在排斥的特性中討論，不涉及互著。

結構原理，使得每一部書目的分類法都是一組座標式的學術系統表。

第五章論部類的質變。歷代書目在發展過程中，有時會出現類名相同，但是定義已經轉變的現象。所謂定義已經轉變，並不一定指編目者隨意的為類別下新的定義；事實上，部類會產生質變的現象，往往是因為有學術門類新興或衰落，或是舊有的學術門類發生了內在變化所造成的。換言之，有些類別雖然是沿用舊名，但其內容已與前代所載不同。當我們在藉分類以明學術時，若不先釐清其間的不同，則必會使學術系統產生誤差。我們若據此反向思考，則部類的質變現象恰是考察學術變遷的另一個觀察點。書目中類別的質變，和當代的學術變遷竟是可以相互印證的。

第六章論書目在隸類時，會有將量少不能成類的書籍依附在近似類別的現象，而且這種依附的現象還會循環式的進行，此之謂因循依附。這個問題的探索，可以引發出對分類和對學術系統的檢討：以純粹學理而言，有某一學門的書籍，在書目中就應有一個相對應的類別。可是事實上在編目時，很難完全做到這項要求，致使因循依附的現象在所難免。於是考察因循依附出現的頻率，便可知悉該書目的分類系統是否周詳完備。更進一步來看，由於因循依附是將量少的書籍併入他類，因此這些書籍的學術獨立性便被泯滅。若不知從類別中找尋依附現象，並藉此分辨出不被獨立卻實質存在的某些學門，則對學術系統的認知便不免因之疏略。

第七、八兩章則站在目錄學史的角度審視書目的變化。第七章先論分類法的改良。自隋、唐以來，四分法為分類之正統，但是四分法有其限制，尤其在印刷術發明以後，書籍數量大增，而各種學術同時又因之蓬勃發展，四分的規模早已不敷所求。明代的編目者因此求新求變，遂產生了標題目錄的形式。歷來論書目者對此一特殊現象多以特例解之，但是我們若全面檢閱明代至清初的公私書目，即可發現這個現象是普遍性的，而且還有愈趨興旺之勢。因此，這個現象不妨視之為明人對分類法的改良。標題法的出現，意味著學術系統的重整，如果我們可以捐棄成見，正視此一嘗試性的作法，將標題法和分類法相互對照比較，則中國明清以前的學術系統當可更加明晰。

第八章則檢討歷代書目在內容上的變異。由於標題法終不能行，編目的方法遂無由改良。而書籍的數量又成等比級數的增加，在不堪負荷之下，一方面斷代書目興起，藉書目考察學術流變的功能大減；另一方面清冊式的書目大行其道，儘管注重分類，但是由於無力撰寫敘錄，原本可以做為讀書指引的功能亦因之大減。雖有《四庫全書總目》力挽狂瀾，但終使目錄之學不再大受青睞。取而代之者，為商業性或鑑賞性的記載版本的書目，目錄學與學術史緊密結合的特性遂不復從前。

經過上述討論，雖然已可證知目錄學確為一可詮釋性的學科，並可與學術史的研究相互結合，但不可諱言的是，目錄學畢竟有其先天上的限制，因此第九章便從目錄學的本身來說明此一現象。此事又可從兩方面來看：其一，由於編目者對於書籍有高度的選擇性，並且其編目所據的資料又各有限制，所以任何一部書目事實上均無法代表當代所有的圖書；其二，有許多的書籍內容包羅萬象，但在做分類時，或崇質、或依體，終不能兩全，於是有些書籍的特色難免無法完全呈現。補救之道，唯有知此知彼，從無處看有，庶幾能使目錄學的功能發揮至極致。

以上共九章的論述，企圖橫向的由外而內，縱向的由古至今，系統化的架構出中國目錄學的理論。完備與否，另當別論；但是此一研究方向，應是大致不誤的。

二、目錄學功能的省思

從生硬的條列式書目中架構理論，本非易與之事。但是理論系統的提出，仍為當前目錄學研究應有的方向。

目錄學在古代的學術範疇中，一向佔有十分重要的地位。它呈現了各代的學術系統，並且有效的作為讀書進程的指引。可是時至今日，知目錄學為何物者甚少，研究目錄學者更少，能藉目錄學進而探索學術變遷者又更少。清代的王鳴盛在《十七史商榷》卷一中，即認為目錄學是「學中第一緊要事」，並且認為求學之道「必從此問途，方能得其門而入」。但是放眼當今之世，學子「從此問途」者，真是鳳毛麟爪。文史學系的入門者，在面對中國歷代浩瀚書海時，只是「拄杖落手心茫然」，徒呼負負的不知所措，卻不知利用目錄學這項學術瑰寶。

不懂得利用目錄學，除了這門學科行之不廣之外，鮮有理論架構，當是主要原因。理論不彰，使得章學誠所謂的「辨章學術，考鏡源流」的目錄學功能流於口號；而不知如何將目錄學與學術史研究相結合，更使目錄學只能成為查閱資料的工具性學科，當然會讓它走上沒落之路。

架構理論的主要目的，在於使目錄學的實用功能從工具性學科向上提升，希望藉理論的探究，能彰顯書目和學術的關係，並冀求使用者能在書目條列式的條文之外，更深入的全面考索各時代的學術門類與學術流變，進而達到研究學術史的上層功能。如果可以朝著這個方向去開創，那麼目錄學在當前的學術環境中，仍是能夠佔上一席重要地位的。

國家圖書館出版品預行編目資料

中國目錄學理論

周彥文著. – 初版. – 臺北市：臺灣學生，民 84
面；公分

ISBN 978-957-15-0705-7 (平裝)

1. 目錄學

010 84010115

中國目錄學理論（全一冊）

著作者：周彥文
出版者：臺灣學生書局有限公司
發行人：楊雲龍
發行所：臺灣學生書局有限公司
臺北市和平東路一段七十五巷十一號
郵政劃撥帳號：00024668
電話：(02)23928185
傳真：(02)23928105
E-mail：student.book@msa.hinet.net
http：//www.studentbook.com.tw
本書局登記證字號：行政院新聞局局版北市業字第玖捌壹號
印刷所：長欣印刷企業社
新北市中和區永和路三六三巷四二號
電話：(02)22268853

定價：新臺幣二八〇元

西元一九九五年九月初版
西元二〇一二年八月初版二刷

01001

ISBN 978-957-15-0705-7 (平裝)

臺灣學生書局出版

文獻學研究叢刊

1. 中國目錄學理論　周彥文著
2. 明代考據學研究　林慶彰著
3. 中國文獻學新探　洪湛侯著
4. 古籍辨僞學　鄭良樹著
5. 兩岸四庫學：第一屆中國文獻學學術研討會論文集　淡大中文系編
6. 中國古代圖書分類學研究　傅榮賢著
7. 馬禮遜與中文印刷出版　蘇　精著
8. 來新夏書話　來新夏著
9. 梁啓超研究叢稿　吳銘能著
10. 專科目錄的編輯方法　林慶彰主編
11. 文獻學研究的回顧與展望：第二屆中國文獻學學術研討會論文集　周彥文主編
12. 四庫提要敘講疏　張舜徽著
13. 圖書文獻學論集　胡楚生著
14. 書林攬勝：臺灣與美國存藏中國典籍文獻概況——吳文津先生講座演講錄　淡大中文系編
15. 章學誠研究論叢：第四屆中國文獻學學術研討會論文集　陳仕華主編
16. 工具書之用法　陳新雄著
17. 近現代新編叢書述論　林慶彰主編
18. 古典文獻的考證與詮釋：第 11 屆社會與文化國際學術研討會論文集　淡江大學中國文學學系周德良主編
19. 明清時期臺南出版史　楊永智著
20. 當代新編專科目錄述評　林慶彰主編
21. 舉業津梁：明中葉以後坊刻制舉用書的生產與流通　沈俊平著

㉒ 中國文獻學理論 周彥文著
㉓ 校讎通義今註今譯 劉兆祐註譯
㉔ 葉德輝文獻學考論 沈俊平著